L'homme qui a séduit le Soleil

1661. Quand Molière sort de l'ombre...

L'auteur

Jean-Côme Noguès est né à Castelnaudary, dans l'Aude, en 1934. Il est devenu enseignant par vocation. Pourtant, il y eut au début de sa carrière une parenthèse au cours de laquelle il se tourna vers le théâtre. L'histoire du héros, Gabriel, bien entendu n'est pas la sienne. Même si elle a fait resurgir des souvenirs du temps où, jeune comédien, il portait les hallebardes sur la scène de l'Odéon-Théâtre de France. Ensuite, il se décida à partir en tournée en province et à l'étranger. Son dernier rôle fut Octave dans *Les Fourberies de Scapin*. C'était avant que l'écriture entre dans sa vie. Depuis, il a publié de nombreux romans, des nouvelles et des contes. Le roman historique demeure son domaine préféré. Deux générations ont lu *Le Faucon déniché*, dont le succès depuis 1972 ne s'est pas démenti.

Du même auteur, chez Pocket Jeunesse :

Le Faucon déniché
Victor Hugo, la révolte d'un géant
L'enfant et la forêt

Jean-Côme NOGUÈS

L'homme qui a séduit le Soleil

1661. Quand Molière sort de l'ombre...

POCKET JEUNESSE
PKJ·

Loi n° 49 956 du 16 juillet 1949 sur les publications
destinées à la jeunesse : août 2008.

© 2008, éditions Pocket Jeunesse,
département d'Univers Poche,
pour la présente édition.

ISBN : 978-2-266-17838-9

Paris, 1661

1
Le Pont-Neuf

GABRIEL aurait voulu dormir encore, mais, en bas, dans sa cuisine au ras de l'eau, la mère Catoche n'avait pas attendu le point du jour pour se lever. Le garçon se retourna sur son grabat, écoutant la vie qui reprenait aux deux étages de la masure. Il reconnaissait les voix, les appels de l'un, les protestations de l'autre, le ronchonnement habituel de Matoufle. Et puis il y eut un rire en cascade, des bribes de chanson lancées sur un ton joyeux. C'était Amapola qui s'éveillait. La mauvaise humeur de Matoufle en fut augmentée.

« Comme tous les matins », se dit Gabriel.

Il occupait un réduit sous les toits dont le seul avantage était qu'il ne le partageait avec personne, si ce n'était avec les rats. Une fois tiré de son sommeil, il l'abandonnait sans regrets.

— Alors, Matoufle, la vie est belle aujourd'hui ?

— Y a longtemps qu'elle a fini d'être belle, la vie !

Le vieux chiffonnier descendait l'escalier aux marches branlantes, un crochet dans la main droite, un sac sur l'épaule, grognant à chaque pas.

— Maudite jambe ! Va falloir la tirer jusqu'à ce soir !

À une fenêtre du premier étage, une jeune fille chantonnait en contemplant la Seine et en peignant sa longue chevelure brune.

— Bonjour, Amapola ! lança Gabriel.

Elle lui jeta un regard qu'elle accompagna d'un sourire, tout en continuant de chanter.

À l'entrée de la cuisine, les difficultés allaient commencer. La logeuse fourgonnait dans la cheminée, un tas de menu bois à côté d'elle pour ranimer le feu. Lorsqu'elle se redressa, elle soutint ses reins qui la faisaient souffrir comme, disait-elle, ce n'était pas possible de souffrir, rajusta d'une main impatiente son maigre chignon défait et, grognonne par profession, apostropha Gabriel.

— Ah ! te voilà, toi ! Je parie que tu vas me demander une jatte de lait !

— Tout juste !

— Et pourquoi pas aussi un quignon de pain ?

— Et pourquoi pas ?

— Et avec quoi que tu vas me payer ?

Gabriel prit un escabeau et s'attabla sans la moindre hésitation, clouant son regard aux allées et venues de la grosse Catoche.

— Ce soir, j'aurai gagné assez pour te payer, rassure-toi. S'il le faut, je resterai sur le Pont-Neuf jusqu'à ce qu'il devienne vieux.

Elle ne lui résistait pas longtemps, il le savait. Enfant sans famille, il en avait trouvé une, en quelque sorte, dans cette maison où vivotaient des miséreux qui, pour la plupart, n'espéraient même plus des jours meilleurs. La nuit le ramenait, sur la berge envasée, à la masure ancrée au bord du fleuve comme une barque pourrissante, où d'autres vies se réchauffaient devant un feu de planches trouvées dans les décombres et un bol de lait bourru.

Seulement, de temps en temps, le moins souvent possible, il fallait payer sa part de la dépense.

Le chiffonnier vint s'asseoir à l'autre bout de la table. Il sortit de son habit un long couteau qui lui était un compagnon des jours l'un après l'autre voués à la recherche de trésors monnayables. Les mains posées à plat sur le bois tailladé, taché de vin et de gras, il attendit, se refusant à gaspiller encore des mots puisque l'hôtesse n'ignorait pas ce qu'il voulait.

Elle déposa devant lui une écuelle de soupe épaisse et tout fut comme le vieil homme le souhaitait. Ce qui, pour autant, ne lui rendit pas une bonne humeur définitivement perdue.

— Dis donc, Matoufle, t'as vu ma chemise ? attaqua Gabriel quand il estima, non sans risque d'erreur, que le chiffonnier avait fini de manger. Bientôt, on n'y verra plus que les trous, tellement elle est déchirée. Et de quoi j'aurai l'air ? Tu pourrais pas m'en trouver une autre ?

— Va savoir !

Matoufle ne voulait pas s'engager, mais le garçon comprit qu'il aurait bientôt une nouvelle chemise. Certes, elle ne serait pas neuve, mais elle ferait une saison et, comme l'été approchait, un souci, ainsi, s'en allait.

La chanson d'Amapola dégringola l'escalier. Un jupon rouge tourbillonnant entra dans la salle, un coquelicot joyeux qui lança à la cantonade :

— Bonjour tout le monde !

— Atch ! fit Matoufle sans cacher son irritation.

Rejetant l'assiette au fond de laquelle ne restait rien de la soupe, il se leva et sortit de son pas traînant mais inépuisable. Gabriel profita du remue-ménage pour s'éclipser à son tour.

Quand il fut dehors, la vieille maison, si vieille qu'elle menaçait de s'écrouler dans le fleuve, fut oubliée, et les rats du grenier, et la promesse de payer le soir même la mère Catoche. Il allait, le long de la rive, vers le Pont-Neuf. Au fil de la marche, il devenait un autre, léger, bondissant, le sourire aux lèvres, le cheveu en bataille et l'œil pétillant.

Le mois de mai accrochait de jeunes feuillages aux branches des arbres sur la berge. Des bateaux remontaient le courant, tirés par de robustes chevaux à la croupe tendue par l'effort. Les lavandières tapaient du battoir avec entrain. Une journée commençait, qui promettait d'être belle. De quoi serait-elle faite ? On verrait bien !

Le Pont-Neuf, lorsque Gabriel y arriva, était déjà occupé par les baladins et les bonimenteurs. On s'y disputait ferme pour obtenir ou conserver une bonne place. S'il y connaissait tout le monde, le garçon n'y avait pas que des amis.

— Encore toi ? lui lança un grand escogriffe habillé de jaune et de vert, avec des clochettes à son chapeau.

— Est-ce que je ne dois pas gagner ma vie, moi aussi ?

— Va la gagner ailleurs !

Prudent, Gabriel n'insista pas. Il lui fallait souvent œuvrer des poings pour conquérir un petit carré de pavés à l'entrée du pont. En retour, il recevait quantité de coups qu'il essayait, autant que possible, d'éviter.

Les passants et les badauds n'étaient pas encore nombreux, aussi chacun s'installait-il en prenant son temps. Un jongleur s'exerçait au maniement de torches enflammées. Jambes écartées pour assurer l'aplomb nécessaire, visage impassible, toute la mobilité contenue dans les bras et les épaules, il se concentrait sur le feu qui montait et descendait au-dessus de sa tête. Il n'avait pas besoin d'aide. Gabriel passa sans s'arrêter.

Un peu plus loin, un homme disposait sur un étal des sachets fermés d'un cordonnet et des petits pots de terre cuite bouchés par un tampon de liège. L'individu intriguait Gabriel, qui aurait voulu l'aborder mais n'osait le faire. Il était grand et maigre, avec un visage long qui exprimait une gravité dont, visiblement, il ne cherchait pas à se départir.

Le pont commençait à s'animer en un brou-haha joyeux, un va-et-vient incessant, mais il ne fallait pas s'y tromper. Au-delà des rires et des appels, des cris et des chansons de rue, les unes gaies, les autres tristes désespérément, c'était la lutte pour la vie qui se jouait sur les arches de pierre. Le mendiant était mal vu parce qu'il apportait sa décrépitude à la joie pourtant factice qui interpellait le passant. On le chassait avec des gestes brusques et des mots violents, sans pitié, tandis que les tire-laine flâ-naient, apparemment insoucieux, l'œil à l'affût, occupés à ne pas laisser s'échapper sans rien essayer une escarcelle[1] bâillante ou un sac entrouvert.

Gabriel se demandait comment il allait pouvoir gagner quelques piécettes lorsque, au centre de la place, Amapola parut. Son jupon rouge dansait toujours. Un mouchoir bariolé retenait sa chevelure. À son bras était passée l'anse d'un panier débordant de lilas. Gabriel courut à sa rencontre.

— Dis donc, ma belle, où tu as trouvé ces fleurs ?

— Ça t'intéresse, petit démon ?

— Tu les as cueillies sans doute sur tes terres.

— Exactement.

Tous deux partirent d'un grand éclat de rire. Il se trouvait dans les faubourgs tant de jardins enclos de murs d'où dépassaient tant de bosquets fleuris qu'il n'y avait qu'à avancer la main sans même parfois se hausser sur la pointe des pieds.

— Il faut bien que les gens de Paris s'aperçoivent que le printemps est arrivé, dit Ama-

---

1. Grande bourse suspendue autrefois à la ceinture.

pola sans donner plus d'explications sur l'origine de sa cueillette.

Et elle esquissa un pas de fandango[1], le panier au-dessus de la tête, les bras en arceaux et le menton pointé.

Une grappe de lilas tomba à ses pieds. Aussitôt, un jeune galant, gentilhomme à n'en pas douter, se pencha et la ramassa. Il fit mine de la rendre, mais très vite la porta à son visage. D'un geste impertinent, il s'en caressa la moustache.

— Elle est à moi, affirma-t-il en découvrant des dents blanches comme pour dévorer la fleur.

— Si vous l'achetez.

— Elle est donc à vendre ?

— Avec les autres qui sont là.

— Et combien me coûtera-t-elle ?

— À vous d'en fixer le prix.

Elle le provoquait tout en se tenant prête à s'esquiver lorsque l'inconnu se montrerait trop intrépide. Elle jouait de la prunelle, de la gaieté de sa jeunesse, et lui ne demanda pas plus qu'un

---

1. Danse espagnole.

instant de fanfaronnade enjôleuse. Il tira de sa bourse une pièce de dix sols qu'elle attrapa à la volée.

— Bien le merci, mon beau seigneur !

— Je vois que tu te débrouilles bien toute seule, dit Gabriel avec de la gouaille dans la voix.

Elle sentit que, sous le ton moqueur, le garçon cachait une incertitude. Elle en fut touchée.

— À midi, quand les cloches de Notre-Dame sonneront, viens me retrouver. J'aurai sûrement du pain et peut-être quelque chose à mettre dessus.

— Peut-être que moi aussi, j'aurai de quoi acheter trois pommes. Nous nous offrirons un bon déjeuner.

Elle lui ébouriffa les cheveux afin de lui arracher un sourire et il en fut rasséréné. Le désespoir ne durait jamais longtemps chez Gabriel. Si la lutte pour la vie était âpre et les rivalités souvent exacerbées parmi les saltimbanques du Pont-Neuf, un compagnonnage existait aussi, une solidarité de nécessiteux insouciants qui partageaient dans la bonne humeur ce que le jour leur apportait.

— Amapola, demanda Gabriel brusquement, tu connais cet homme qui vend des petits sacs et des pots de je ne sais pas quoi ?

— C'est le marchand d'orviétan. Il est arrivé d'Italie avec des remèdes qui soignent toutes les maladies et qui font même des miracles.

— Il le dit !

— N'est-ce pas suffisant ?

Elle partit, dans un parfum de lilas et le balancement de son jupon rouge. La première branche vendue était un début encourageant. Et, parce que Amapola était belle, et jeune, et gaie de nature avec pourtant une gravité acquise aux aspérités de la vie, elle ne se décourageait jamais.

Gabriel s'approcha de l'homme qui avait revêtu maintenant une longue robe noire et s'était coiffé d'un chapeau pointu à grosse boucle, comme en portaient les médecins de la ville. Il affichait une mine froide, impénétrable. Il aurait pu ainsi éloigner les badauds attirés par les boniments débridés des autres vendeurs d'excentriques merveilles. Il avait aussi l'œil sombre et le geste retenu, alors qu'autour de lui ce n'étaient que cabrioles et appels du pied, petits singes agités et chèvres frappant du sabot.

Le chaland se laissait prendre à son attitude distante. Les sachets et les pots précautionneusement fermés y gagnaient en mystère. On les regardait d'un air intrigué. On essayait de capter des odeurs, on espérait des guérisons en évaluant la dépense. L'espoir était proportionnel aux douleurs de la goutte qui rongeait les orteils, aux tourments qui bouleversaient des ventres, aux migraines tenaces et aux frissons de fièvre annonciateurs de maux plus redoutables encore.

— Tout ! L'orviétan guérit tout, assurait l'homme au chapeau pointu. C'est un électuaire puissant.

— Un quoi ? demanda un laquais dont le rhume des foins n'empêchait pas l'impertinence.

— Un remède composé de poudres dont je ne vous dirai pas les noms.

— Et pourquoi donc ?

— Parce que vous êtes tous bien trop ignorants pour en connaître les propriétés. Sachez seulement, braves gens qui avez aujourd'hui la chance de me voir à Paris où je ne suis que de passage, appelé par le roi d'Occident...

— Où que c'est, l'Occident ? coupa encore le laquais.

— Quels incultes vous faites, vous tous qui m'écoutez ! L'Occident est ce pays où le soleil se couche et où un roi m'attend.

Pas un trait de son visage ne bougeait. Imperturbable, il continuait son discours. Gabriel, admiratif devant un personnage si bien construit, était tout yeux et tout oreilles.

— Ces poudres qui apaiseront les humeurs de vos entrailles, qui purifieront votre sang noirci par la bile, qui regonfleront vos poumons et rendront à vos reins une fluidité naturelle, sont mêlées à la pulpe de fruits que vous n'avez jamais vus parce qu'ils ont mûri dans des pays dont vous n'avez jamais entendu parler.

— L'Occident ! lança de nouveau le laquais goguenard.

— Non, monsieur ! L'Orient ! Et tout cela mêlé au miel de l'Olympe, à la sève sucrée de plantes adoucissantes, poursuivit le charlatan. Tout cela, braves gens, c'est l'orviétan aux vertus curatives merveilleuses. Je viens d'Orvieto, en Ombrie, pour vous faire profiter de ses bienfaits, d'Orvieto où mon maître,

Ferrante, a étudié l'art de la médecine et est connu du monde entier !

— Comme l'Occident ! persifla encore le drôle enrhumé.

Le vendeur de potions magiques, tirant parti de sa longue robe noire qui touchait le sol, s'approcha du laquais et, d'un soulier décidé, lui écrasa le pied.

— Dépêchez-vous, braves gens ! Il n'y en aura pas pour tout le monde !

Deux ou trois goussets se délièrent après un marchandage entêté. Attirée déjà par d'autres éventaires, la foule s'écoulait. L'homme, rompu aux incertitudes de son commerce, fit une pause.

— Dur métier, remarqua-t-il en laissant tomber d'un coup son masque d'impassibilité.

Il eut conscience de cet instant d'abandon au cours duquel son personnage s'était défait, car il se tourna vers le parapet et regarda couler la Seine avec une insistance lourde de pensées.

Alors un autre personnage fit son entrée sur le pont, un matamore [1] emplumé, enrubanné et

---

1. Personnage de faux brave vantard, dans la comédie espagnole, puis italienne.

tonitruant, de rouge habillé, avec des galons dorés, la moustache cirée et l'œil noir qui pétillait d'une joie entièrement fabriquée mais communicative. Il jouait du violon avec autorité. Un air qui poussait à la danse et qui recouvrait les rires et les cris, le roulement des carrosses et le bruit des chevaux.

— Beppino !

On le reconnaissait, on l'acclamait et il pirouettait, le sourire généreux, l'archet batailleur sur les cordes soumises à rude épreuve. Derrière lui allait un petit âne, un tout petit âne empomponné, un panier à chaque flanc. Il en débordait un tapis, des bâtons, des étoffes brillantes, des masques de carton. Les badauds suivaient cet équipage, riaient déjà.

Et Gabriel sut que, ce soir-là, il paierait son dû à la mère Catoche.

— Bonjour, Beppino ! s'époumona-t-il en emboîtant le pas au saltimbanque.

L'homme arriva ainsi à la pointe de l'île de la Cité où le pont s'élargit en une place. Son violon prolongea la saltarelle[1] tandis que le

---

1. Danse vénitienne.

public se regroupait en jouant des coudes pour avoir les premiers rangs. Le décor fut vite planté, le tapis déroulé.

— *Buongiorno*, Picotino !

Il l'avait appelé par son nom de rue. C'était un engagement pour un jour, pour une heure, pour le temps d'une improvisation de commedia dell'arte. Gabriel avait déjà des fourmis dans les jambes et des papillons plein le cœur. Le brave Vénitien avait promis de le réengager et il tenait parole.

— Attrape ça !

Il lança au gamin un manteau trop long dans lequel, c'était évident, il s'empêtrerait, un chapeau qui lui tomberait sur les oreilles, autant de moyens pour susciter le rire.

— Va t'habiller, *piccolino* ! Et surtout ne rate pas ton entrée.

On a beau jouer aux quatre vents de la Seine, quand le ciel crachine ou le soleil flamboie, on n'en a pas moins le sens du théâtre.

Gabriel descendit sous une arche et, dans l'ombre, par la magie d'un vêtement d'emprunt, il fut un autre. Rejeté, l'enfant du réduit, celui qui, aux jours de mauvaise chance, mendiait sans parvenir à cacher combien tendre la main lui répugnait. Il était Picotin, un personnage de son invention.

Quand il remonta sur la place, Beppino haranguait l'assistance. Il portait un masque qui lui couvrait le front et l'ornait d'un nez impérieux.

— Voici Picotino !

La foule suivit son geste du regard et l'on vit apparaître un petit bonhomme, les poings sur les hanches, le chapeau sur les yeux. Les pans de son habit traînaient, à la fois comiques et un peu pathétiques. Des rires éclatèrent. Gabriel les laissa durer, porté par ce premier succès. Il n'avait pas raté son entrée.

— Ah ! Le bel âne ! Salut à toi, maestro Beppino !

Le matamore se redressa, bomba le torse, se plia, fit trois pas, souffla, se redressa encore.

— C'est de moi que tu parles, *ragazzo* ?

— Pas du tout ! Âne oui, mais bel âne, non !

— Et d'abord, que veux-tu ?

— Tu l'as dit, je suis Picotin et je veux avoir, moi aussi, ma ration d'avoine.

Ce disant, Gabriel se tournait vers le public trop lent à jeter des piécettes sur le tapis. Il décochait une œillade, plantait son regard dans les yeux d'une femme en bonnet, aux grosses joues rouges. Il prolongeait le jeu sans ciller, tandis que l'hilarité montait et que la malheureuse, ne sachant plus que faire, tirait une obole de son tablier. Alors il saluait bien bas, avec des gestes portés à l'extrême, avant de revenir vers Beppino et d'entamer un échange de menaces et de railleries qui, immanquablement, se terminait par des coups de bâton.

Les menues monnaies pleuvaient jusque sur les sabots de l'âne.

Il les ramassait en continuant d'être Picotin, mais, en Gabriel qu'il était aussi, il comptait le nombre de nuits où il pourrait dormir dans le grenier, les matins où il boirait le lait sans encourir les récriminations de sa logeuse. Il sentait déjà l'odeur des saucisses qu'il achèterait quand sonnerait le bourdon de Notre-Dame. Et le soleil était plus gai sur le Pont-Neuf, l'air avait des bouffées printanières, les querelles de cochers devenaient joyeuses, Paris avait un air de fête.

Pour tout dire en peu de mots, la vie était belle.

— On recommence, Beppino ?

— Attends un peu. Ne sois pas si impatient !

— Non ! Non ! Recommençons !

— Il me faut le chaland.

Le Vénitien reprit son violon. Il débuta par une musique douce, lente, qui s'insinuait dans l'oreille de celui qui passait, lui faisait ralentir le pas, tourner la tête et s'arrêter. C'était comme une longue plainte qui vous saisissait le cœur et ne le lâchait plus, un air qui parlait du bonheur et du malheur d'aimer, avec des notes qui s'étiraient, s'étiraient pour finir en un sanglot. Les femmes déambulaient au bras d'un époux ou d'un compagnon et retenaient celui-ci, songeuses tout à coup. La tête un peu inclinée, elles se penchaient sur l'épaule de l'homme, et la musique les subjuguait, sûre d'une influence mystérieuse.

Près de l'âne, un ange était immobile, bien droit, le chapeau en auréole sur sa tignasse embroussaillée. Le long manteau retombait sur ses pieds, l'enfermant dans des plis qui le dissimulaient. Seul, le visage restait visible. Deux grands yeux qui regardaient par-delà l'assistance comme s'ils voyaient un monde de lumière interdit au commun des mortels. Un nez relevé que n'ont pas souvent les anges, mais qui se faisait oublier tant la bouche semblait se préparer à chanter une séraphique ariette[1].

Picotin avait changé de personnage.

Tout à coup, le violon devint endiablé. L'ange aussitôt se fit diablotin. Ses bras moulinèrent avant d'enfoncer le chapeau sur les yeux. Les jambes jaillirent du manteau pour exécuter un bond qu'un cri accompagna.

— Salut à toi, maestro Beppino !

Et la farce recommença.

Un peu en retrait, un homme contemplait la scène. Il ne riait pas aux rodomontades de Beppino. Mais il était attentif. Son œil avisé, sous les épais sourcils noirs, suivait le déroulement de l'improvisation des deux compères. Une mélancolie, que ne parvenait pas à effacer l'acuité du regard, donnait à son visage aux traits assez lourds un air de bonté, relevé d'un rien d'impertinence par une fine moustache comme en portaient les jeunes gens dont visiblement il avait passé l'âge.

C'était un bourgeois, à en juger d'après sa chemise au col bouillonnant de dentelles sur

---

1. Dans la musique classique, air léger et chanté.

un justaucorps de velours négligemment déboutonné. Gabriel ne l'avait pas remarqué, emporté qu'il était par son rôle, inventant les reparties au fur et à mesure, et oublieux du temps, du lieu pour n'être plus que Picotin. Le badaud – mais était-ce un badaud ? – laissa l'assistance s'écouler. Il resta appuyé au parapet sans cacher l'intérêt qu'il portait aux deux acteurs de la farce.

Beppino, plongeant la main dans son chapeau, en retira une poignée de pièces. Après réflexion, il tendit à Gabriel, entre pouce et index, un peu de très menue monnaie.

— Tiens ! C'est pour toi. Et maintenant, file !

— On recommence demain ?

Le saltimbanque voulut tempérer l'enthousiasme de son partenaire.

— On verra ! Qui sait de quoi demain sera fait ?

Cela ne convenait pas au garçon. Le lendemain serait fait d'une nouvelle réclamation de la mère Catoche et surtout, surtout, plus importante encore, d'une belle envie de saucisses, de pain frais et de pommes qui chaque jour revenait.

Et puis aussi d'un besoin de retrouver les rires que ses répliques faisaient jaillir, du plaisir de capter l'attention, de se projeter hors de soi-même, d'être un autre en quelque sorte et, parce qu'il portait un chapeau enfoncé jusqu'aux yeux, de se permettre impunément toutes les insolences, toutes les plaisanteries, parfois même les plus cruelles.

Celui qui le regardait l'avait compris. Lorsque le garçon s'éloigna, il le suivit. Gabriel ne s'en aperçut pas. Il cherchait Amapola dans la cohue maintenant dense sur le pont. Bientôt le bourdon de Notre-Dame sonnerait. Avant le chant des cloches, il voulait se procurer les pommes. Il prit une ruelle si étroite et ombreuse que le soleil n'y pénétrait jamais assez longtemps pour sécher la fange qui recouvrait le pavé irrégulier. On s'y souillait ferme, mais Gabriel n'en avait cure. Dans un renfoncement que protégeaient deux bornes jointes par une chaîne, une femme venue de la campagne vendait ses fruits et ses légumes. Il achèterait quatre pommes. Deux pour Amapola et deux pour lui puisque le lendemain, quoi qu'en ait dit Beppino, il serait de nouveau Picotin.

L'inconnu qui le suivait s'arrêta. Quand il vit Gabriel revenir vers le pont, il enjamba une flaque boueuse pour le rattraper. Au même moment, un carrosse arriva au galop. Des éclaboussures jaillirent en gerbe, mouchetant les bas blancs et les basques du justaucorps. L'homme ne sembla pas s'en soucier. Il se planta devant Gabriel, son visage éclairé d'un sourire.

— Bonjour, Picotin ! Tu ne me connais pas. Je me nomme Molière.

2

À L'Écu d'Argent

GABRIEL en laissa tomber trois des quatre pommes.

— Le sieur Molière de la salle du Palais-Royal ?

— Du Palais-Royal.

— De la troupe de Monsieur[1] ?

— De la troupe de Monsieur.

Les répliques s'enchaînaient comme dans une farce de Molière qui aurait eu sa source chez les bateleurs du Pont-Neuf. Molière s'en amusait. Gabriel ne jouait pas l'étonné, il l'était. Et il en oubliait de ramasser ses

---

1. Ainsi appelait-on Philippe d'Anjou, frère cadet de Louis XIV et devenu Philippe de France, duc d'Orléans.

pommes. Ce fut l'illustre comédien qui s'en chargea.

— Eh ben ! répétait le garçon sans trouver rien d'autre à ajouter.

— Je t'ai vu, tout à l'heure, quand tu improvisais avec le signor Beppino. Je t'ai écouté aussi. J'ai besoin de quelqu'un comme toi.

Au même moment, les cloches de Notre-Dame se mirent à carillonner. Quelle musique elles faisaient ! Jamais elles n'avaient paru aussi joyeuses, aussi sonores. Du moins ce fut ce que Gabriel pensa. Le gros bourdon laissa la place à une belle envolée cristalline venue des clochers aux alentours. Les voix de bronze clair sautaient de pignon en pignon, rebondissaient sur les toits pentus, se mêlaient, se répondaient. Avaient-elles déjà chanté ainsi ?

— Vrai ? ne sut que dire Gabriel sans croire à ce qu'il venait d'entendre.

Molière ne souriait plus. Son visage avait retrouvé une expression mélancolique, mais le regard conservait de la douceur sous l'arc sombre des sourcils.

— Encore faut-il que tu acceptes de faire ce qu'on te demandera.

Ces derniers mots auraient pu inquiéter un garçon moins tête en l'air que Gabriel. Lui entrevoyait sur-le-champ un destin fabuleux. L'homme qui, racontait-on autour du Pont-Neuf en l'enviant, avait promené L'Illustre Théâtre de Lyon à Narbonne, de Pézenas à Rouen et sur les routes du Languedoc, des pays de la Loire et d'ailleurs, cet homme était là, devant lui. Il l'avait suivi pour lui demander d'entrer dans sa troupe. N'était-ce pas étonnant ?

— J'accepte, dit-il, incapable de cacher un trop-plein d'allégresse.

— Alors scellons notre accord par un bon déjeuner. Je parie que tu n'as pas encore mangé.

Gabriel voulut cacher de même combien cette proposition le faisait déjà saliver. Il pensait aussi à la gentille Amapola, qui avait projeté de partager la recette de sa matinée. C'était trop d'invitations d'un seul coup.

— Je veux bien, dit-il en retrouvant son art de comédien. Mais je vous demanderai un instant. Un rendez-vous que je ne peux pas manquer. Je n'en aurai pas pour longtemps.

Le sourire revint sur les traits de Molière, un simple étirement des lèvres et de la moustache.

— Je peux attendre, convint-il en entrant dans le jeu.

— Ici ?

— Si tu veux.

Gabriel se força à marcher calmement tant qu'il n'eut pas tourné le coin de la rue. Dès qu'un angle de mur le déroba aux regards de Molière, il se mit à courir, serrant les pommes sur sa poitrine, la tête pleine de songes et le cœur endiablé.

La bouquetière contemplait le flot des passants. Son panier était vide et son visage heureux. Elle n'avait pas une fortune dans sa ceinture, mais elle pourrait vivre jusqu'au lendemain et apporter de quoi calmer pour quelques heures l'estomac de ce petit espiègle qu'elle avait pris sous sa protection, peu à peu, sans s'en rendre compte, sans trop le lui dire ni le lui montrer, car il regimbait vite et montait sur ses ergots comme un jeune coq qui n'a pas encore toutes ses plumes.

— Je me demandais si tu allais venir, avoua-t-elle en prenant soin de ne pas donner à ces paroles un ton de reproche.

Il fit rouler les quatre pommes dans le panier.

— Amapola, je ne vais pas manger des saucisses avec toi.

Il lui conta l'étonnante rencontre, à mots bousculés qui trahissaient sa joie, les cent chimères qu'il échafaudait. Elle le laissait parler, maternelle soudain, remplie d'attendrissement pour ce jeune garçon sans famille et sans liens, qui menait bravement sa vie au hasard des ruelles et du pont et qui, brusquement, se sentait accueilli, demandé.

Se sentait ou se croyait ?

Elle ne chercha pas à le mettre en garde contre les désillusions qui, peut-être, un jour le blesseraient.

— Je déjeune avec lui. S'il le faut, je ne retournerai jamais chez la mère Catoche. Jamais, tu m'entends, jamais ! Je ne t'oublierai pas. D'ailleurs, nous nous reverrons. Il y aura toujours des fleurs à vendre et je te retrouverai sur le pont.

— Au moins, est-ce qu'il t'a dit ce qu'il voulait faire de toi ?

— Pas encore. Je t'en prie, Amapola ! Laisse-moi imaginer toutes ces choses. Même si elles n'auront servi qu'à ça, laisse-moi penser que je vais enfin entrer dans un théâtre !

Il avait vraiment un visage d'enfant qui court après ses rêves. Ce matin-là était-il le début d'une aventure pour laquelle il se savait fait ?

— Si je ne retourne pas chez la mère Catoche, je veux au moins payer ce que je lui dois. Sinon, elle en ferait une jaunisse, la pauvre femme. Tiens, il me reste quelques sous. Pas beaucoup. Ce sera bien assez. Elle mettait de l'eau dans le lait qu'elle me servait. Donne-lui-en trois ou quatre.

La tête lui tournait. Il voulait encore dire des mots aimables à la jeune fille, des mots de gentillesse qu'il ne disait qu'à elle et, pendant ce temps, il ne perdait pas de vue que Molière l'attendait, le grand Molière de qui on parlait depuis que Monsieur, le frère du roi, l'avait pris sous sa protection.

— Tout ce que j'ai, affirma-t-il en saisissant la main d'Amapola pour y glisser les dernières pièces. Celles-ci, elles sont pour toi.

— Tu en auras besoin !

— Souhaite que je n'en aie pas besoin.

— Et si tu n'es pas engagé dans la troupe ?

— Il y aura encore Beppino sur le Pont-Neuf.

L'insouciance le reprenait. L'impatience aussi. Il partit en courant.

À l'endroit convenu, il n'y avait personne. Molière ne l'attendait plus. Gabriel resta cloué sur place tant sa déception était grande. L'extraordinaire aventure finissait avant même d'avoir commencé. Le garçon essaya de se trouver des raisons d'espérer encore. Adossé au coin de la rue, près de la boutique d'un rôtisseur d'où s'élevaient des odeurs capables de vous retourner l'estomac comme un doigt de gant, il se força à l'indifférence sans y parvenir. Comment y serait-il parvenu alors qu'il ne reconnaissait pas parmi les passants l'homme qui avait fait battre son cœur si fort en y éveillant des merveilles ? Et puis la faim lui rappelait que, sur une promesse trop vite écoutée, il avait rejeté la douce sollicitude d'Amapola. Des saucisses proposées ne restait que l'exaspérant fumet qui sortait de la boutique et remplissait la rue d'un tenace regret.

« Il ne reviendra pas », finit-il par admettre au fond de lui.

Picotin malheureux, il retourna vers ce qui était son monde, vers le Pont-Neuf, à la recherche de Beppino. Il devait gagner de quoi vivre jusqu'au soir avant de rejoindre la maison moisie sur la berge du fleuve. Il avait cru pouvoir s'en échapper. Il s'était trompé.

Parmi les quelques désœuvrés qui entouraient le marchand d'orviétan, il l'aperçut tout de suite et la joie revint aussi vite qu'elle était partie. C'était bien lui. Il tournait le dos, mais on n'en pouvait douter. Le camelot débitait des formules qui devaient être du latin. Il les accompagnait de grandes envolées de manches, un index pointé vers le ciel. Tant de menaces s'accumulaient, selon ses dires, dans un sang qu'il fallait purifier, dans des entrailles agitées qu'un purgatif saurait ramener à la raison.

Molière écoutait. Il écoutait avec une attention qui semblait saisir chaque mot, noter un geste, poursuivre l'outrance sur le visage ridiculement doctoral. Sur son visage à lui, un amusement aussitôt né s'éteignait, remplacé par une brume de tristesse.

Il ne riait pas. Molière, qu'on disait si drôle sur scène, à la ville ne riait guère.

— Purgeons ! Purgeons ! clamait le vendeur de drogues miraculeuses.

S'approchant d'un porteur d'eau qui arborait une mine fleurie et paraissait plus solide que le Pont-Neuf, il insista d'une voix assurée.

— Voyez cet homme ! Voyez ces couleurs sur ses joues ! Elles indiquent une constitution maladive, un excès d'âcreté qui ronge la vésicule du cœur et les alvéoles de la rate. Que va-t-il lui arriver s'il ne se soigne pas ? La vésicule du cœur se remplira de sérosités, les alvéoles de la rate se dilateront en comprimant la gorge et notre homme bientôt ne pourra plus parler.

L'homme en question ouvrait des yeux arrondis d'une stupide admiration devant ce qu'il prenait pour le comble du savoir médecin. D'une peur subite aussi, après ce qu'il venait d'entendre. Porteur d'eau, il avait dans sa ceinture six sols acquis en montant celle de la Seine dans les étages. Il se dépêcha de les échanger contre deux sachets qui le préserveraient de tous les malheurs annoncés.

Un frisson courut sur les traits de Molière.

— Partons, dit-il à Gabriel.

Ils allèrent sur la rive gauche, prirent des ruelles tortueuses dans lesquelles un carrosse n'aurait pu rouler. Aucun des deux ne souffla mot tant que dura la marche. Molière était sombre, Gabriel ébahi. Lorsqu'ils débouchèrent sur la place Maubert, le bruit des chariots, les querelles de conducteurs et les cris des commerçants les tirèrent de leur mutisme.

— Tu dois avoir faim, jugea Molière en entrant à l'auberge de L'Écu d'Argent.

La salle débordait de dîneurs, de voix, d'odeurs et de mouvement. Molière y était connu, car l'aubergiste se dirigea vers lui en louvoyant entre les tables et les bancs.

— Ah ! Monsieur ! Quel plaisir vous nous faites en venant chez nous ! Et quel honneur !

— Auriez-vous un coin de table ?

— Un coin de table ! Monsieur plaisante ! C'est une table tout entière qu'il lui faut !

En maître de céans qui a le sens de la hiérarchie pour sa clientèle, l'aubergiste choisit une table. Dans la clarté glauque venue de la petite fenêtre aux vitres serties de plomb, deux marchands y prolongeaient la pause de midi en buvant des pots de bière.

— Allez ! Laissez la place au sieur Molière du Palais-Royal !

Les deux compères obéirent à un ordre aussi impératif. Ils se levèrent sans trop de mauvaise grâce et se préparaient à sortir quand un jeune élégant, avec une arrogance calculée et d'une voix qui portait au-dessus du brouhaha, les retint.

— Mes amis, accepterez-vous d'être écartés pour ce plaisant farceur qui dit si mal les vers de Corneille ?

Molière noircit son regard, mais ne répondit pas. Il venait de reconnaître un des acteurs les plus en vue de la troupe des Comédiens du Roi, à l'Hôtel de Bourgogne.

— Asseyez-vous donc ici, messieurs, reprit l'insolent. Buvons tout notre soûl pour nous préserver de *Dom Garcie de Navarre* [1] en l'oubliant !

Les marchands avaient le caractère bonhomme et l'esprit plus enclin au commerce qu'aux querelles de deux troupes rivales. Ils firent sonner sur la table les vingt sols de leur repas avant de sortir sans relever l'invitation.

— Monsieur, dit Molière avec beaucoup de calme, vous avez le droit de ne pas goûter ma pièce et de vouloir l'oublier. Mais vous ne pourrez rien contre le fait qu'elle a été créée pour l'ouverture du Théâtre du Palais-Royal.

---

1. Pièce de Molière, créée au Théâtre du Palais-Royal le 4 février 1661.

L'aubergiste jugea prudent de rompre le silence qui suivit :

— Pour commencer, nous avons des huîtres.

— Aimes-tu les huîtres ? demanda Molière à Gabriel.

— Bien sûr !

Il n'en avait jamais mangé.

— Ensuite, un pâté de hachis avec une salade de cresson pour vous mettre l'appétit en bouche.

— Tu veux du pâté ?

— Oh oui !

— Pour moi, une soupe au lait suffira.

— Monsieur serait-il souffrant ? s'inquiéta l'aubergiste.

Il n'eut pas de réponse et comprit qu'il ne fallait pas insister.

Gabriel trouva les huîtres bonnes et le pâté pas aussi gros qu'il l'avait espéré. Aussi dévora-t-il allègrement un demi-poulet aux choux et ne refusa-t-il pas une jatte de crème dorée à la braise. Molière le regardait manger, ému par une misère qui se révélait ainsi. Devant lui, la soupe refroidissait. De temps en temps, il en portait une cuillerée à la bouche avec une sorte d'hésitation, comme si ce brouet allait déclencher des souffrances. Et il ne parlait pas, laissant le garçon au plaisir de déjeuner, pour une fois à sa faim.

Puis, quand Gabriel eut nettoyé du doigt le fond de la jatte :

— Tu as une famille ?

— Je m'en souviens plus.

— Comment cela ?

— Depuis l'âge de neuf ans, je me débrouille tout seul.

— Et quel âge as-tu maintenant ?

— Bientôt quatorze.

— Bientôt ! Tu voudrais te vieillir, n'est-ce pas ?

Gabriel regarda celui qu'il considérait déjà comme son bienfaiteur. Il avait perçu dans la voix un ton qu'il prit pour une réticence et il chercha à se rassurer.

— Je sais faire beaucoup de choses !

— Tu possèdes surtout de l'aplomb. Je t'ai écouté quand tu donnais la réplique à Beppino. Tu as le sens du rythme et l'intonation juste. À la rigueur, cela peut s'apprendre, mais, chez toi, c'est inné.

— Vous... Vous me ferez jouer au théâtre ?

D'une main levée, Molière tempéra un emportement qu'il fallait ramener à de justes mesures.

— L'art du théâtre demande une formation en plus du talent. De la culture aussi.

— La culture, je sais pas ce que c'est. Mais l'envie de jouer, je connais !

Déjà dépité, le malheureux garçon essayait d'être convaincant. À un sourire qu'il fit naître, il pensa avoir réussi.

— Quand j'étais jeune comme toi, poursuivit Molière, j'allais souvent sur le Pont-Neuf. Mon grand-père m'y conduisait. Un peu en cachette de mon père qui souhaitait me voir devenir un tapissier hors pair. Je préférais la lecture aux velours de Gênes. J'assistais aux farces qu'on représentait. Né bourgeois et destiné au négoce, je ne rêvais que de pantomimes. Tu m'as rappelé mon enfance.

Ils n'étaient plus que tous les deux dans la salle. Gabriel s'en aperçut en prenant conscience du silence qui les entourait.

— Quand peux-tu rejoindre notre troupe ?

— Tout de suite.

— Vraiment ?

— Oui. Ce que j'ai, je le porte sur moi.

— Eh bien, allons !

Arrivés près du Louvre, ils entrèrent dans une vaste maison qui dépendait du Palais-Royal.

— Nous logeons ici, annonça Molière.

À peine avaient-ils abordé l'escalier qu'une jeune femme sortit sur le palier du premier étage. Toute poudrée et rajustant avec négligence un déshabillé plus léger qu'un nuage, qui glissait sur des épaules nues faites pour n'avoir aucune envie de le rajuster.

— Que nous amènes-tu là, Jean-Baptiste ? s'étonna-t-elle en se penchant sur la rampe.

Puis, venant à leur rencontre, elle s'arrêta près d'un œil-de-bœuf, avec un art consommé de capter la lumière.

— Oh ! Le mignon ! Je le veux pour tenir ma traîne. Nous le déguiserons en petit singe !...

Elle avait parlé haut après un rire en cascade capable d'atteindre le dernier balcon. Une autre porte s'ouvrit, une autre femme parut. Plus belle encore, un visage altier, un port de reine, une voix d'orage qui savait à son gré devenir violoncelle.

— Si De Brie l'a pour sa traîne, je pars à l'Hôtel de Bourgogne ! Je veux cet enfant. J'en ferai un petit Turc pour la mienne, avec un gros turban à aigrette et des basques dorées.

Molière réprima un geste d'agacement.

— Du calme, Catherine ! Et toi aussi, Marquise. Il ne sera ni petit singe ni petit Turc.

Les deux rivales se réconcilièrent en faisant face à un directeur de troupe aussi peu compréhensif et qui ne se souciait pas de mettre en valeur ses actrices.

— Et quoi donc ?

— Il sera moucheur de chandelles.

3
Intrigues

OLBERT se frotta les mains en voyant la pile de dossiers qui pesait sur son bureau. La mort de Mazarin, au mois de mars, l'avait fait commis aux Finances du royaume.

Le petit jour se levait à peine, baignant la pièce d'une clarté pâle avant l'entrée du premier rayon de soleil. Une heure propice à la réflexion. Aux pensées aussi qu'on ne pouvait exprimer dans la lumière de midi, si ce n'était lorsqu'un hasard heureux ou une habile manœuvre permettait un instant de tête-à-tête avec le roi. Sous l'habit de drap brun qu'il s'obstinait à porter au milieu des soies et des dentelles de la cour, il abandonnait son cœur à des rêves. Il s'en défendait comme d'une folie dont il aurait dû se séparer, mais y revenait sans cesse. Les bavardages des courtisans saisis au détour d'une galerie, les rapports de ses espions recueillis dans le silence du cabinet donnaient matière à des ambitions que son habileté lui faisait tenir pour réalisables.

« Profiter du moment, mesurer ses paroles, avoir des preuves », échafaudait-il en secret.

Il en retardait d'autant l'ouverture du premier dossier et se le reprocha. Les dépenses débridées du jeune souverain l'épouvantaient. Il se promit d'y mettre de l'ordre quand...

— Assez de songes ! marmonna-t-il. Le moment n'est pas encore venu.

Mais les songes avaient surgi à son entrée dans la pièce et ne le quittaient pas. En ce matin de juin, s'il était soucieux du redressement économique de son pays, un démon intérieur le poussait à des calculs plus personnels.

Le travail était la meilleure façon d'arriver à ses fins. Il s'y plongea avec un plaisir extrême. Rien n'échappa à son attention tatillonne. Il s'absorba dans les rapports et les enquêtes, les études pour des projets qu'il lancerait. Il traquait la dépense excessive et cherchait le moyen d'y remédier. Il voyait des perspectives de développement dans ce qui devait être la richesse du royaume et alors la réflexion de cet homme si froid s'enflammait.

— Le commerce, murmura-t-il en ouvrant un dossier particulièrement fourni.

L'idée que des bateaux entraient dans le port d'Amsterdam, lourds de tout le fret précieux rapporté des Indes, l'irritait au plus haut point.

« Pourquoi ne ferions-nous pas aussi bien que la Hollande ? se dit-il. Et pourquoi même ne le ferions-nous pas quand elle ne pourrait plus le faire ? »

Il posa sa plume sur l'encrier de cristal et ajouta mentalement les mots qu'il n'était pas temps encore de prononcer :

« Si nous l'en empêchions. »

La pendule égrena les douze coups de midi. On était samedi, jour du conseil des Finances. Midi, l'heure des sages précautions et de l'habileté. Absorbé par sa tâche, Colbert n'avait pas vu le temps passer. Il se leva, rajusta sa calotte que, dans un geste de désapprobation suscité par la découverte de paiements inattendus, il avait déplacée en fourrageant dans ses cheveux. Sur un siège attendait un portefeuille de velours noir. Il y rangea les dossiers dont il aurait à donner communication au roi. Il le fit avec un soin hérité de son drapier de père, un souci du bon ordre qui répugnait à toute fantaisie. Et puis, il hésita. À l'autre bout du bureau, un carnet était posé. Un simple carnet comme en avaient ses ancêtres, avec, au long des pages, deux colonnes, une pour les crédits, l'autre pour les débits. Comptable consciencieux, il y avait noté ce que ses informateurs lui avaient rapporté et, pour la première fois, les sommes astronomiques des débits lui étaient agréables.

Allait-il glisser ce carnet dans le portefeuille noir ?

Pour saisir une éventualité heureuse, il l'y glissa. Et il se dirigea, intérieurement fort résolu, vers le cabinet du conseil. Deux ministres y étaient en compagnie du chancelier. Celui-ci, revêtu de la longue robe qui conférait une dignité particulière à sa charge de chef de tous les conseils de Sa Majesté et de garde du sceau royal, maintenait une attitude distante. Colbert salua avec modestie les trois personnages et alla attendre dans l'antichambre.

Louis XIV fit son entrée, escorté de plusieurs gentilshommes qui le suivaient à cinq pas.

Coiffé d'un grand chapeau sur lequel mous-
saient des plumes blanches, une canne à la
main, il prit place dans le fauteuil. Sa suite resta
à la porte dont les deux battants se refermèrent.
L'entretien du samedi commençait. Colbert, en
commis dévoué autant que déférent, patientait.
Son heure n'était pas encore venue, mais les
recommandations de Mazarin mourant au
jeune roi lui permettaient d'espérer une nomi-
nation prochaine.

Une heure passa et puis une autre encore. Le
conseil finirait bientôt. Il aspirait à y être admis
un jour. Pour le moment, il devait se contenter
de demander une audience et de souhaiter
qu'elle lui fût accordée.

La porte s'ouvrit de nouveau. Le roi accorda
l'audience.

Mesurant sa voix, modérant son caractère qui
l'aurait porté à récriminer, Colbert mit toute
son adresse à se montrer humble pour pré-
senter des propositions qu'un monarque de
vingt-trois ans, déjà épris de magnificence, ne
saurait accepter qu'avec effort.

Parler au roi en secret, à l'issue du conseil,
n'est pas envisageable à moins d'un hasard

extraordinaire qu'on ne peut prévoir raisonna-
blement. Il faut donc se faire comprendre sans
se compromettre. Colbert n'est qu'un bourgeois
dont feu le cardinal a reconnu les mérites. Mais
que valent-ils, ces mérites, face à la morgue des
seigneurs aux écoutes dans l'antichambre ? Et
les ministres qui sont là et échangent des
propos d'une parfaite courtoisie en ayant soin
de ne pas froisser le roi, et disent ce que celui-ci
veut entendre, que colporteraient-ils ensuite
pour conquérir une faveur, un placet[1] judicieu-
sement introduit par une personne influente ?
L'humble commis suit son idée.

— Sire, mon souci de rétablir les finances du
royaume m'a poussé à quelques observations.

— Rétablir ? feint de s'étonner le roi. Nos
finances seraient-elles à ce point en perdition
qu'il faille les rétablir ?

Colbert ne répond pas. L'affirmer serait
accuser le souverain et c'est une autre accusa-
tion qu'il veut formuler. Il est debout à l'extré-
mité de la table. Avec une lenteur calculée, il
se penche et saisit le portefeuille de velours

---

1. Demande écrite pour obtenir une grâce.

noir. Tous les yeux sont braqués sur lui quand il en tire le carnet aux colonnes révélatrices.

Louis et son tâcheron des comptes croisent leurs regards. Ils se comprennent sans parler. Tous deux ont déjà évoqué ensemble le problème en secret.

— Qu'on nous laisse ! ordonne le roi.

Les ministres s'effacent, la mine sombre parce qu'ils constatent l'ascendant que prend de plus en plus cet inconnu sorti de l'ombre par Mazarin. Les battants de la porte se referment. Des oreilles se collent aux cloisons dans le vain espoir de surprendre des bribes de ce qui va se dire. Colbert sait que, maintenant, il peut parler.

— Sire, commence-t-il, des rapports incontestables m'ont appris qu'il use des ressources de l'État à des fins personnelles.

Le pronom suffit pour s'exprimer clairement.

— Il étale un train de vie qui non seulement épuise les revenus du royaume, mais encore porte atteinte à l'éclat de Votre Majesté.

Louis sursaute. Il a saisi l'allusion de Colbert. Que celui dont il est question puise dans le Trésor royal, passe encore. Mais qu'il se serve de ces détournements pour rivaliser avec son souverain est intolérable.

Le commis sent qu'il ne doit pas s'avancer davantage. Il connaît les projets de l'homme qu'il veut perdre dans l'espoir de le remplacer, et qui est un sujet bien trop grand pour qu'on puisse l'arrêter selon le bon plaisir du roi. Trop de conséquences politiques et financières découleraient d'une entreprise maladroitement menée. Ce qu'il faudra, c'est un coup de force. Et miser sur l'impétuosité juvénile de Louis XIV.

Sans un mot de plus, il dépose le petit carnet sur la table, il s'incline et sort.

*
* *

Dans le revers de sa manche était la lettre que Mme du Plessis-Bellière avait fait apporter deux jours auparavant. La bonne chère vieille amie s'inquiétait pour lui qui n'était sur ce point qu'indifférence. Ou provocation bien dangereuse, insinuait-elle avec toutes les formes de sa discrétion et de son sens des nuances hérités d'une longue pratique de la cour. Des rumeurs circulaient. On jasait à demi-mot, on chuchotait. On prenait des airs navrés pour mieux dissimuler une curiosité sans cesse ranimée par l'attente.

D'autres pensées se bousculaient dans la tête de Nicolas Fouquet. Il était parvenu à bâtir une fortune inouïe et se demandait à présent ce qu'il pourrait en faire. L'amasser avait été un des buts de sa vie. La course à la conquête des plus belles œuvres d'art, des objets les plus précieux l'intéressait en somme davantage que leur possession. Sa charge de surintendant des Finances l'avait entraîné dans une spirale d'acquisitions pour le plaisir d'acquérir, mais aussi pour le pouvoir qui en résultait. La France était à ses pieds.

Le beau château tout neuf brillait dans son écrin de verdure comme un diamant parfaitement taillé. L'aimait-il, son Vaux-le-Vicomte, pour lui-même ou pour ce qu'il représentait ? Il n'aurait su le dire.

Peut-être, afin de parfaire la ligne de son destin, serait-il amené à avoir le geste le plus grandiose qui fût.

Il y pensait en flânant le long d'une allée dessinée par Le Nôtre, où chaque feuille de buis se mêlait à des milliers et des millions d'autres et oubliait la nature exubérante des buis en forêt, évoquant ainsi les dessins des tapisseries anciennes.

À quoi bon ces splendeurs si elles n'aboutissaient pas pour lui à un dépassement de soi ?

Il s'arrêta dans le but de contempler l'allée des fontaines. Un signe de la main adressé à un jardinier et l'eau jaillirait en une longue suite de gerbes. Il ne fit pas le signe. Pas encore. Le soleil apparut dans une échancrure des nuages. Il enveloppa le château d'une lumière plus agressive, frappa la façade, pesa sur le dôme aux ardoises bleutées comme s'il eût voulu l'écraser et, pénétrant à travers les balustrades du grand escalier, atteignit la terrasse où se réfugiaient des coins d'ombre.

« Mme du Plessis a sans doute raison, remarqua Nicolas Fouquet, mais qu'importe ? »

Tournant le dos à sa demeure trop belle, il pénétra dans une charmille qui l'enferma en un silence trop lourd.

« J'aviserai lorsque le moment sera venu », se dit-il afin de retrouver la brûlante jouissance d'être l'heureux possesseur de tant de trésors.

Heureux ? Était-il vraiment heureux ? L'insatisfaction le reprenait. Elle constituait un élément de sa personnalité, il le savait. C'était elle qui lui avait donné la capacité de courir à l'assaut de succès jamais suffisants.

L'idée lui vint du remuement de ces pensées. Elle s'imposa à son esprit, forte comme une évidence, impérieuse, folle peut-être, mais ne devait-on pas ajouter un éclair de folie à la réalisation d'un projet qui deviendrait ainsi une apothéose ? Dans l'isolement de la charmille, personne ne pouvait contredire la dernière ambition de Nicolas Fouquet. Pour la trouver, il se promenait seul, au petit matin, lui qu'un troupeau de flatteurs et de solliciteurs à chaque instant entourait. L'idée suivit son cours.

Il donnerait une fête comme jamais surintendant des Finances n'en donna et il y convierait le roi. Il verrait dans les yeux du jeune monarque l'admiration, l'étonnement, l'ébahissement qui le consacreraient. Et puis... Et puis, si Mme du Plessis avait des raisons de s'alarmer, si les bavardages et les médisances couraient, il rassurerait la bonne dame et écraserait les méchants propos par un geste de grand seigneur.

À peine eut-il décidé cela que la lettre de Mme du Plessis, quittant le revers de sa manche, tomba sur le gravier où tout, comme partout, n'était que recherche d'une perfection qui ferait le Grand Siècle. Elle y demeura, lourdement présente, telle une mise en garde qu'on aurait dû considérer, un avis silencieux dont il eût fallu tenir compte et que pourtant Fouquet dédaigna. La lettre retrouva ensuite sa place sous la soie brodée de la manche, et l'idée suivit son chemin de plus belle.

Pourquoi avoir exigé le meilleur de Le Vau, qui réussit un équilibre si parfait des volumes, de Le Brun, qui décora chaque pièce avec un sens de la grandeur harmonieuse, de Le Nôtre, qui entoura le château de végétales arabesques, si ce n'était pour l'apogée d'un soir éblouissant ?

Déjà, l'orgueilleux financier faisait jaillir les détails dans son imagination surchauffée. À tant de génies qui avaient contribué à l'édification de son chef-d'œuvre, il ajouterait la verve de Molière dont le renom grandissait. Le temps pressait. On ne pouvait attendre.

Un pas fit crisser le gravier. Dans le calme de cette solitude au sein de laquelle Fouquet se complaisait, le bruit, pourtant faible, prit une résonance étrange. Tout était signe en ce jour.

Le surintendant le percevait. Il leva la tête,
comme un homme surpris dans un moment
d'abandon. Un valet approchait.

— Excellence, dit-il en s'inclinant, on vient
livrer le portrait.

Pour une fois, ce n'était pas le monde des
affaires, de la finance, des bateaux à armer, du
parlement de Paris qui faisait intrusion, mais
un très charmant souci.

— Faites attendre.

Le laquais se retira et Fouquet retrouva des
songeries que les mots du serviteur avaient
brusquement réveillées. À quarante-six ans, il
connaissait des émotions de jouvenceau. Et il
était éconduit ! Ni sa position à la cour ni les
richesses dont il aurait su se montrer prodigue
n'avaient raison des résistances de la demoi-
selle d'honneur de Madame[1].

« L'effrontée ! La sotte tête insensée ! »

Pour ne pas s'avouer complètement vaincu,
dans un moment de vanité blessée, il avait
voulu s'emparer du visage de celle qui repous-
sait ses avances. Posséder son image était un

---

1. Henriette d'Angleterre, épouse de Monsieur, frère du
roi.

peu s'en rendre maître. Mais clandestinement, afin que la dédaigneuse ne pût en tirer une quelconque gloire. Il avait donc introduit dans l'entourage de Madame un peintre encore obscur, dont le talent néanmoins se devinait sans peine, et il lui avait confié le soin de fixer les traits de l'insolente belle. Ne pouvant admettre un refus qui à ce point l'étonnait, il avait de plus chargé un envoyé dévoué à sa cause d'enquêter pour apprendre les raisons exactes de sa défaite.

Le peintre attendait dans le vestibule, intimidé par le décor qui l'entourait. Modeste, il avait déposé sur le carrelage et appuyé à l'huis d'une porte le tableau qu'il venait soumettre à l'appréciation de son illustre client.

C'était le portrait d'une jeune fille dont le visage gardait les courbes pleines de l'enfance. La bouche, petite comme on les aimait alors, avait quelque chose d'attirant malgré elle, et le regard de côté, en se dérobant à celui de qui le découvrait, accentuait un charme fait de douceur.

Fouquet fut attiré dès son entrée par ce regard. Ignorant le peintre et l'homme qui l'accompagnait, il se figea sans un mot, absorbé

par sa contemplation. L'artiste voulut élever
le tableau pour le mettre dans la lumière. Il
l'arrêta d'un geste. La lumière irradiait des
épaules dénudées qu'une longue boucle de cheveux blonds frôlait comme une caresse. L'arc
des sourcils exprimait une volonté à laquelle
on pouvait trouver la marque d'un entêtement.
Fouquet s'en impatienta. Sur la toile autant que
dans la vie, la jeune fille le défiait.

L'autre homme, qui jusque-là se faisait
oublier en se tenant à l'écart, s'avança. Par un
mouvement des lèvres et un mutisme qu'il prolongea, il fit comprendre que ce qu'il avait à
dire relevait du secret. À la suite du surintendant, il pénétra dans le salon ovale dont les
laquais refermèrent les portes.

— Eh bien, que savez-vous ?

— Le roi, Votre Excellence. Le roi s'est
épris de Mlle de La Vallière.

— C'est donc pour cela !...

La nouvelle ne lui déplaisait qu'à moitié. En
un sens, elle satisfaisait son amour-propre. Être
repoussé parce qu'un roi jeune et beau est votre
rival atténue la blessure.

— On le dit pourtant tout à son admiration
pour Madame...

— Il l'était.

— Et maintenant ?

— Maintenant il a vu la suivante de Madame, et Madame est redevenue pour lui l'épouse de Monsieur.

Fouquet sentit qu'il ne pouvait plus avoir d'espérances. Son instinct l'avait bien guidé lorsqu'il l'avait fait renoncer à Mignard au moment de choisir qui peindrait l'aimable figure de Mlle de La Vallière. Si ce qu'on lui rapportait était exact, le roi ne tarderait pas à passer semblable commande au peintre ordinaire de la reine mère.

Quand il retourna dans le vestibule, le portrait lui parut plus attirant que jamais. Jusqu'à ce jour, le teint diaphane de Louise l'avait séduit. Il en avait eu le cœur remué, un peu niaisement pensait-il, mais c'était si agréable de se rendre compte que, sous le brocart du surintendant des Finances, son cœur avait toujours vingt ans ! À présent s'ajoutaient une sourde rivalité, une humiliation. Un sentiment au départ si léger, si romanesque, si amusant prenait un poids, une pesanteur dont il faudrait s'accommoder.

Puisque tel était le désir du roi.

Le portrait n'eut pas sa place dans le grand salon d'apparat qui devait l'accueillir. Nicolas Fouquet le fit accrocher dans son cabinet. Le décor raffiné de cette pièce plus intime l'enveloppait de mystère, de regret aussi, de silence.

Surtout de silence !

Et Nicolas eut de nouveau quarante-six ans.

4
Le fiacre noir

GABRIEL comprit vite que, s'il voulait survivre dans la troupe, il devait observer une prudente réserve. Armande Béjart, notamment, ne l'avait pas vu arriver sans quelque déplaisir. Le garçon sentit tout de suite chez elle de l'animosité. Il ne s'en expliquait pas les causes. Peut-être l'impatience générale. La maison vivait dans l'attente. Molière écrivait une nouvelle pièce.

— Cela s'appellera comment ? demanda un jour Catherine De Brie.

— *L'École des maris.*

— Et j'y tiendrai quel rôle ?

L'astucieux directeur de théâtre se permit un sourire à la fois ironique et malin. Il savait parler aux actrices.

— Mais voyons, l'ingénue la plus jeune et la plus charmante !

Catherine sourit elle aussi et ce fut de satisfaction. Les années qui passaient n'avaient pas de prise sur elle. Elle le voulait ainsi. Ignorer la fuite du temps était son tracas quotidien.

Madeleine Béjart attendit d'être seule avec l'auteur pour hasarder la question à son tour :

— Et moi, Jean-Baptiste ?

Il y avait un peu de résignation dans sa voix. L'époque de L'Illustre Théâtre était loin, quand elle subjuguait le public par son brio. Certes, elle disait toujours les vers admirablement, mais sa taille s'était épaissie, la rousseur de sa chevelure beaucoup éteinte, et elle était obligée d'ajouter plus de poudre à son front, de carmin sur ses joues pour dissimuler qu'elle était vieille désormais.

— Toi ? Tu seras Lisette.

— Une servante.

— Ma mie, tenta d'expliquer Molière, tu sais bien que les servantes sont les plus intéressantes à jouer. Elles ont leur franc-parler, du bon sens, et elles ne sont jamais ridicules !

— Tu as raison, Jean-Baptiste. Je serai ta Lisette.

Il la regarda quitter la chambre, les épaules basses, le front penché. On ne pouvait voir si elle avait les larmes aux yeux. Il en fut ému malgré lui.

— Madeleine, appela-t-il au moment où elle atteignait la porte.

Elle s'arrêta, ne se retourna qu'après avoir hésité. Déjà, en bonne comédienne qu'elle était, elle avait retrouvé la maîtrise de soi, prête à réussir sa sortie de scène. La main sur le loquet, elle attendit.

— Je te le promets, Madeleine, dans ma prochaine pièce, tu seras la plus belle.

Une complicité passa entre eux, forgée au cours des ans et des errances, des succès et des échecs qu'ils avaient connus ensemble. Il lui fit un clin d'œil pour rompre l'émotion qui les agitait.

— Tiens, ajouta-t-il sur un ton jovial mais un peu forcé, je te promets encore que tu auras la dernière réplique de *L'École des maris*. C'est sur toi que le rideau tombera.

Elle hocha la tête – sa façon de le remercier sans les mots qui auraient dit ce qu'elle préférait taire.

Lorsqu'il fut seul de nouveau, Molière se demanda s'il ne venait pas de faire une promesse trop difficile à tenir. Il se remit au travail. Les vers lui venaient avec une aisance dont il voulait profiter tant qu'elle durerait. S'en méfier aussi. Le rythme de l'alexandrin le portait. Parfois la césure médiane se dérobait, rompant cette musique qui soutenait la pensée, lui donnait les moyens de franchir la rampe pour faire rire l'auditoire de ses propres travers. La rime aussi se montrait récalcitrante quand l'auteur s'abandonnait aux excès du personnage qu'il se destinait. Qu'importait ! La plume allait bon train.

« J'ai déjà dit cela dans *Le Cocu magnifique*. »

Qu'importait encore puisque la réplique avait eu son effet ! Autant la reprendre et la pousser plus loin.

En ces jours d'écriture, Gabriel se sentait isolé. Dans la grande maison secouée à tous les étages d'appels et de cris, de portes qui claquaient, de talons impérieux frappant le carrelage, d'homériques colères et de mots roucoulés

derrière un mouchoir brodé, le pauvre Picotin
à l'âme si légère essayait de se faire oublier.

— Petit drôle, cours donc me chercher une
chaise !

Armande descendait l'escalier, froufroutante
et emplumée. Gabriel se demanda si c'était bien
à lui qu'elle s'adressait. Il resta planté au rez-
de-chaussée, à la regarder descendre, craintif et
rempli d'admiration.

— Dépêche-toi ! Tu voudrais peut-être que
je me crotte ! Trouve vite une chaise !

La rue le rendit à lui-même et à une envie
qu'il s'efforçait d'oublier. Retournerait-il au
Pont-Neuf ? Il y avait été tellement libre !
Avait-il eu raison de céder à la sécurité en suivant l'homme du Palais-Royal ?

« Reste à savoir ce que tu veux devenir, bateleur ou comédien », lui souffla sa conscience.

Il ne se dirigea pas vers le Pont-Neuf. Le
quai grouillait d'une activité dans laquelle
repérer deux porteurs de chaise s'avérait tâche
difficile. Armande taperait du pied s'il ne les
ramenait pas vite.

« Qu'elle tape ! »

Il allait s'éloigner quand un inconnu
l'aborda.

— Bonjour, petit. Qui loge dans la maison d'où tu sors ?

— Tout le monde le sait. Le sieur Molière. Pourquoi cette question ?

— Je cherche quelqu'un. Je me suis trompé sans doute.

L'inconnu allait poursuivre son chemin quand il se ravisa.

— Tu connais le sieur Molière, petit ?

Une pointe d'orgueil piqua le cœur de Gabriel.

— Bien sûr, dit-il en y mettant toute sa conviction. Je fais partie de sa troupe !

L'homme semblait maintenant ne plus vouloir le quitter.

— Mais, au fait, qui est ce Molière ?

— Comment, vous ne le savez pas ?

— Eh non !

— Le directeur du Théâtre du Palais-Royal. Le chef des comédiens de Monsieur, frère du roi.

Ce fut récité comme une leçon bien apprise. L'homme écouta avec un air ahuri. Il devait avoir envie d'un brin de causette.

— Ah ! Et que joue-t-on, en ce moment, au Théâtre du Palais-Royal ?

Gabriel ne pensait plus aux porteurs de chaise. Il ne lui déplaisait pas de montrer à cet idiot qu'il était un familier du comédien. Un peu de la gloire de celui-ci rejaillirait sur lui.

— En ce moment, nous ne jouons pas. Il écrit une pièce.

— Ah ! répéta l'autre avec toujours l'air de ne rien comprendre à ce qui lui était dit.

Mais il jeta un regard vers le bout du quai où un petit fiacre noir se trouvait à l'arrêt.

— Faut que je m'en aille, coupa Gabriel. Mlle Béjart m'a chargé d'une commission.

— Mlle Béjart ? répéta l'homme au plus fort de l'étonnement.

Gabriel lui faussa compagnie sans tarder davantage.

— Attends ! Ne pars pas !

Il pressa le pas et s'enfonça dans une rue étroite où il se mêla à la foule avec un bonheur retrouvé. Il en oublia presque de nouveau ce dont il était en quête. Il distribuait des bonjours joyeux aux femmes en bonnet, aux marchands, aux oisifs, aux mendiants. À tout le monde.

Les porteurs de chaise, où donc étaient-ils passés ? Quand on avait besoin d'eux, jamais on ne les rencontrait.

Le roulement d'une voiture menée au grand galop le fit se jeter sous l'auvent d'une échoppe. Il heurta l'étal sur lequel s'entassaient salades, oignons, fèves et navets. Une belle dégringolade s'ensuivit. La colère du boutiquier allait éclater quand un cheval se cabra. Gabriel eut juste le temps d'entrevoir le fiacre du quai. La portière s'ouvrit. Une poigne le saisit au col. Il fut hissé à l'intérieur. La portière se referma. Le cheval reprit sa course.

Dans la pénombre des mantelets abaissés, Gabriel reconnut le dîneur de L'Écu d'Argent.

— Je vous remercie de m'avoir évité une belle raclée, dit-il. Mais c'était pas la peine. J'aurais su me défendre.

L'homme trouva la repartie plaisante.

— Ce n'est pas pour t'éviter une correction que je t'ai enlevé.

— Ah ! Parce que vous m'avez enlevé ?

— Est-ce que cela n'en a pas l'air ?

— Où me menez-vous ?

— D'ailleurs, si tu ne te montrais pas raisonnable, tu pourrais bien la recevoir, ta correction.

Ces paroles fort peu engageantes furent prononcées avec beaucoup de calme, sur un ton négligent destiné à vaincre toute envie de résistance. Le mystérieux ravisseur fit rouler entre ses doigts une canne au pommeau d'argent qui prouvait à elle seule combien la mise en garde était fondée.

Gabriel saisit la menace et se blottit le plus loin possible dans le fiacre trop étroit.

« Dès que la voiture s'arrête, j'ouvre la portière et je saute », se promit-il.

Il s'en voulait de ne pas avoir résisté. Son étonnement avait été si grand que l'idée ne lui en était pas venue. Avait-il déjà perdu l'instinct de survie qu'il avait développé lorsqu'il logeait chez la mère Catoche ? Personne alors ne lui dictait sa loi. Il payait cette liberté au prix de la faim, de l'insécurité, d'un échange de coups souvent, mais, enfant abandonné, seul sous le toit, il tutoyait les étoiles. Et quand il vagabondait par les rues en quête d'un sou ou d'un quignon, le roi lui-même ne levait pas plus fièrement le nez.

L'autre le tenait sous son œil froid, prévoyant de sa part une tentative pour se sauver. Le cheval allait d'un bon trot qui donnait à penser qu'on avait quitté les ruelles. Gabriel voulut s'en assurer. Il tendit le bras vers le mantelet de cuir. La canne aussitôt tomba sur son épaule.

— Je voulais seulement voir...

— Que t'importe où nous allons ? Si tu te tiens tranquille, si tu ne te butes pas, il ne t'arrivera aucun mal.

— Et si je ne me tiens pas tranquille ?

Un peu plus tard, le fiacre s'immobilisa. Le cocher vint ouvrir la portière.

— Descends !

Gabriel était dans une rue du Marais, prisonnier entre les deux hommes. La fuite semblait impossible. Au moindre mouvement, il serait saisi de nouveau au collet. Sous le satin de l'habit, les canons de dentelles de l'un se cachait une force qu'il avait déjà expérimentée lorsqu'il avait été hissé dans la voiture. Le ventre de l'autre obstruait l'espace qui séparait les roues du portail d'un immeuble cossu. Quant au fouet, on ne pouvait trouver argument plus dissuasif.

— Entre !

Le portail ouvrait sur une cour autour de laquelle s'ordonnaient les façades d'un petit hôtel particulier. Un laquais accourut en voletant sur le pavé inégal, multipliant les saluts, se tordant les chevilles à trop montrer d'empressement.

— Enfin, monsieur ! Vous voici ! Le maître a tant d'impatience qu'il en est souffrant, se lamenta-t-il. Je guette votre venue depuis si longtemps ! Si longtemps !

Il virevoltait, papillon rouge et bleu aux doigts comme des antennes qui dessinaient dans l'air les affres d'une attente, avec un sens consommé du drame et l'art de le traduire.

— Pasquin, va prévenir...

— J'y cours, monsieur ! Je me hâte ! Quel soulagement, monsieur ! Quelle joie !

Ils pénétrèrent dans un vestibule, passèrent une antichambre brillante de dorures et de draperies de soie. Sur un coffre noir comme un catafalque princier et une console au-dessus de laquelle un miroir les doublait étaient posés des candélabres aussi nombreux que pour une surprenante fête de nuit. Gabriel avançait en un monde étrange où chaque objet, chaque couleur à l'éclat trop voyant traduisait un goût pour l'ostentatoire. Il ne pensait plus à ses craintes. Ni la masure de la mère Catoche ni la vaste demeure où logeait la troupe de Molière ne l'avaient habitué à ces splendeurs qu'il jugeait sans pareilles. Et quand il entra dans la salle suivante, il en oublia de respirer. La lumière de juin ne traversait pas le brocart des tentures qui occultaient les fenêtres et ne laissaient filtrer qu'un rai de jour à peine suffisant pour créer une demi-obscurité alourdie de mystère. Au centre de la pièce trônait un fauteuil autour duquel tout avait été disposé, la table de bois sombre et ses flambeaux d'argent, les tabourets de tapisserie alignés sagement, un bassin de métal sur un trépied, rempli de cerises et de petits gâteaux.

Une porte s'ouvrit. Deux laquais entrèrent. L'un et l'autre tenaient haut levé un chandelier à quatre branches. D'un pas glissé, ils allèrent se placer de chaque côté du fauteuil.

Alors, le maître parut. Une apparition qui avait l'absurdité de certains rêves. Un être rutilant dans un manteau de satin jaune, surmonté d'un bonnet en forme de turban, le visage dissimulé par un masque de cuir aux pommettes saillantes.

— Est-ce donc le fripon, Du Bois, que tu m'amènes ?

— Maître, répondit celui qui – Gabriel venait de l'apprendre – se nommait Du Bois, voici le petit valet qui pourra vous révéler ce que vous désirez connaître.

— *Dans l'état où je suis, triste et plein de souci, Si j'espère beaucoup, je crains beaucoup aussi*[1].

La voix avait chanté une déclamation profonde et emplie d'emphase, accompagnée par le geste impérial qui déployait les manches tandis qu'une expiration sifflante soutenait les finales.

— Qu'on approche la lumière ! Je veux de la lumière ! Une profusion de lumière !

Le singulier personnage s'assit dans le fauteuil puis retira son masque, découvrant un visage plâtré de blanc, des yeux charbonnés et la bouche d'un rouge sanglant. Effrayé, Gabriel se jeta en arrière.

— Il fuit, le misérable ! Qu'on l'arrête aussitôt !

La canne de Du Bois, une fois encore, toucha l'épaule du garçon. Prenant appui sur les accou-

---

1. *Rodogune*, acte I, scène 2. Tragédie de Pierre Corneille (1644).

doirs du fauteuil, le vieillard barbouillé se redressa.

— *Sais-tu bien qui je suis*[1] ?

— Non, monsieur, répondit le pauvre Gabriel, qui ignorait tout des vers de Corneille.

— Il ne sait pas, le monstre !

— Maître, faut-il lui dire... ?

— Dis-lui, Du Bois, dis-lui que je suis Montfleury et que le noble art de la tragédie mourrait si Montfleury ne le servait pas avec son âme !

— Montfleury de la troupe de l'Hôtel de Bourgogne ? s'écria Gabriel pour réparer sa bévue. Bien sûr que je sais qui vous êtes. Molière parle souvent de vous !

— Il envie mes succès !... Que dis-je, mes triomphes !

D'une main levée, le vieux roi de théâtre arrêta des ovations que lui seul entendait.

— Je t'ai fait appeler pour apprendre des choses.

Il montra un tabouret près de lui. Abandonnant les vers d'emprunt et ceux que l'habitude

---

1. *Le Cid*, acte II, scène 3. Tragédie de Pierre Corneille (1636).

mettait spontanément sur ses lèvres, il prit une voix radoucie pour demander :

— En ce moment, il prépare quoi ?

Gabriel retrouva son assurance. On l'avait traité de valet tout à l'heure, il allait prouver qu'il n'était le valet de personne.

— Une pièce que nous jouerons avant la fin du mois.

— En as-tu entendu quelques bribes ?

— Plus que cela, monsieur ! Il a répondu à Catherine De Brie qu'elle serait une... J'ai oublié le mot. Une jeune...

— Hum !

— Et Madeleine Béjart sera Lisette.

— Lisette ! Lisette ! Ah ! Ah ! Ah ! Lisette ! Une comédie, une bouffonnerie encore ! Et j'avais du souci ! Jamais il ne saura créer une tragédie ! Allons, qu'on coure après Pasquin, qu'il se hâte et apporte à ce brave enfant un bol de chocolat !

5
Le moucheur de chandelles

MOLIÈRE se regarda dans le miroir longuement. Il avait revêtu le costume de Sganarelle, homme déjà vieux, presque la soixantaine, et assez fou pour vouloir épouser la jeune Isabelle.

Assez fou ! Le visage de l'acteur se rembrunit. Dans la pièce à côté retentissait le rire d'Armande. N'était-il pas assez fou, lui aussi, pour envisager le mariage ?

« Je n'ai pas tout à fait quarante ans. »

Mais pour quelles raisons avait-il écrit *L'École des maris* ?

Les hauts-de-chausses et le pourpoint couleur de musc, à l'ancienne mode, traduisaient le bourgeois mal à l'aise en son époque. D'un peu de noir pour creuser les joues, Jean-Baptiste accentua le désenchantement qui, depuis quelque temps, marquait ses traits. Il prenait un plaisir amer à se vieillir encore.

Un beau jeune homme entra, en habit de satin bleu glacé, charmant à emporter le cœur des dames de qualité assises dans les loges.

— Dis-moi, La Grange, aurais-tu oublié certain édit royal qui interdit trop de dentelles à qui n'est pas de la cour ? Ou bien n'aurais-tu pas écouté la pièce en son entier ? *Oh ! trois et quatre fois béni soit cet édit / Par qui des vêtements le luxe est interdit.* Acte II, scène 6, précisa Molière.

— Je t'ai bien écouté ronchonner, Sganarelle. Mais quelques rubans de plus accrochent les lumières, et un galon d'argent n'est pas un si grand crime. Valère doit séduire.

— Et tu sauras ?

Il n'y avait que de l'amitié dans le ton de Molière. La Grange, avec ses vingt ans à peine dépassés, jouait les amoureux à ravir. La question était une boutade.

— Comment est la salle ?

— Bonne. Les gradins, le parterre, tout est bien.

Molière jeta sur ses épaules le mantelet brun de Sganarelle. Il passa à sa ceinture une escarcelle du même brun et, fin prêt, alla se poster derrière le décor pour écouter le bruit venu de l'autre côté de la rampe. Il avait besoin de ce premier contact. Il y puisait l'émotion, sentait s'accélérer les battements de son cœur cependant qu'une euphorie montait en lui. Les interrogations de la vie quotidienne s'éloignaient, les craintes et les soucis. Ne restait que l'entrée prochaine dans la lumière.

Il entra. Le tumulte faiblit, le temps, pour le public, de reconnaître l'acteur qui parlait les vers avec naturel et, à cause d'un peu de précipitation, les entrecoupait d'un hoquet.

La nouvelle salle imposait un autre comportement aux spectateurs. Un rideau rouge à longs plis lourds les séparait du lieu de la pièce. L'époque où le commun se tenait debout au parterre et où les petits marquis pomponnés, assis des deux côtés de la scène, n'interrompaient pas pendant la représentation leurs médisances et mots d'esprit pour juger tour à tour des charmes d'une actrice et des derniers potins de la ville, cette époque-là n'était plus.

Elle avait fini dans les gravats du Petit-Bourbon[1].

Peu à peu, la magie du théâtre joua. L'auditoire se fit plus attentif. On tenait un succès.

Gabriel ne perdait rien de ce qu'il découvrait. Il aurait aimé être un de ces acteurs qui déclenchaient le rire d'un geste inattendu ou d'un mot envoyé au dernier gradin. Il était moucheur de chandelles. Molière lui avait fait faire un costume couleur de prune. Un costume tout exprès pour lui, avec des bas de laine blancs et une ceinture de cuir. Il n'en était pas peu fier et se consolait ainsi peu ou prou de débuter aussi modestement. Sa main, armée d'une paire de grands ciseaux, tremblait sans qu'il pût l'en empêcher.

Pendant la pièce[2] qui avait été donnée en lever de rideau, il avait surveillé les moindres mouvements de Basile, le moucheur attitré, vieil homme discret, avare de paroles, qui mettait dans l'art de trancher une mèche noircie le

---

1. Salle où jouait précédemment la troupe de Molière et qu'on venait de démolir.

2. C'était *Le Tyran d'Égypte*, de Gabriel Gilbert (vers 1620-1680).

savoir-faire auquel depuis longtemps s'étaient bornées ses ambitions.

« Je ne sais pas si je saurai... », se répétait Gabriel.

L'acte était terminé. Par des bruits divers, la salle exprimait son contentement. Elle applaudissait, y mêlait des sifflets. Quelques huées aussi pour le simple plaisir de semer le désordre.

La Grange devina les craintes de Gabriel. Le beau comédien était celui qui l'avait accueilli avec le plus de gentillesse. Parfois, au cours des répétitions, alors qu'il voyait le gamin tellement absorbé par le monde fascinant qui occupait les planches, il venait s'asseoir près de lui. Il ne lui disait rien, ou presque rien, mais sa présence était amicale et Gabriel ne s'y trompait pas.

Aujourd'hui, les répétitions étaient finies. Trente chandelles brûlaient à la rampe, il avait essayé de les compter, et le public occupait la salle.

— Comment je fais, La Grange ?
— Tu entres en scène et tu salues...
— Je salue ?

— Oui. Tu salues. Sans perdre de temps. Avec tes ciseaux...

— Et si une chandelle s'éteint ?

— Elle ne doit pas s'éteindre.

Au regard de chien malheureux que Gabriel fit monter vers lui, La Grange vit qu'il devait l'encourager.

— Elle ne s'éteindra pas. Vas-y !

Gabriel fit trois pas, les genoux flageolants. Lui qui montrait tant de hardiesse lorsque, sur le Pont-Neuf, il improvisait les répliques à Beppino avait maintenant le geste court, l'hésitation évidente. Il salua, gauche, emprunté. Un éclat de rire perdu dans le bruit des voix le paralysa.

— Grouille !

Agenouillé au bord de la rampe, il ouvrit les ciseaux, les referma d'un coup et ferma aussi les yeux pour ne pas voir le résultat. Quand il les rouvrit, la chandelle brûlait, claire, un amour de petite chandelle qui faisait bien son travail de chandelle, dans la file des vingt-neuf autres chandelles fumant à qui mieux mieux.

« Que de chandelles, mon Dieu ! »

Déjà, le fond de la salle s'impatientait. Aux premiers rangs, les marquis toussotaient avec des mines résignées et des airs dégoûtés. Un mouvement de foule, accompagné des conversations reprises, allait s'amplifiant. Les dames caquetaient dans les loges. Sur les gradins, des exubérants tapaient des pieds.

— Tu veux qu'on t'aide, lambin ?

Les ciseaux cisaillaient, vite, trop vite. La flamme vacillait, moribonde, étouffée. Le suif coulait, menaçant de la noyer. Gabriel retenait son souffle pour ne pas tuer ce peu de vie qui restait. Et puis, une minuscule langue de feu s'étirait, faisait luire à nouveau le réflecteur de métal poli qui renvoyait la lumière renaissante. Gabriel n'avait pas le loisir de s'en féliciter.

Il restait vingt-cinq chandelles.

Au milieu de la rampe, il commença à se sentir plus confiant. Et c'est alors qu'un geste malheureux se produisit. Les ciseaux voulurent trop bien faire, moucher la chandelle et plaire au public en se dépêchant. La mèche coupée court ne put conserver sa petite flamme. Une fumée légère s'éleva, jolie, bleutée. Il sembla à Gabriel que la scène tout entière était plongée dans l'obscurité.

— Continue, lui dit La Grange avec un signe du doigt.

À la trentième chandelle, le plus difficile restait à réaliser. Au-dessus de la rampe, quatre lustres brillaient d'un éclat qui demandait à être ravivé. Ils descendirent lentement, l'un après l'autre, au bout de leur chaîne. Une fois à portée de la main, ils prirent un malin plaisir à se balancer comme pour échapper aux ciseaux.

Lorsque le dernier remonta, brillant d'une joie de brûler retrouvée, des vivats éclatèrent. Le spectacle allait reprendre et, après tout, on n'avait pas attendu trop longtemps. Le nouveau était drôle avec son air embarrassé, sa maladresse, son costume neuf qui sentait le débutant timide.

En somme, il s'était assez bien tiré d'affaire. Versatile, le public maintenant l'acclamait, un peu pour lui témoigner sa satisfaction, beaucoup pour entretenir le tapage. C'était la première fois que Gabriel entendait monter une ovation. Elle le surprit.

À regret, il retourna dans l'ombre.

Quand le deuxième acte s'acheva, Picotin du Pont-Neuf s'était réveillé en lui. Il avait retrouvé un auditoire. Sans se demander si cela plairait à Molière, il se composa un personnage.

Puisqu'on ne lui avait pas donné de texte, il se fit mime avec des gestes lents, un air éberlué, une immobilité qu'il prolongea longtemps, longtemps, jusqu'à ce qu'il eût soulevé un rire. Plus qu'un accessoire, les ciseaux devenaient un partenaire, et les chandelles aussi qui fumaient comme autant de répliques muettes.

La salle, d'abord, ne le remarqua pas. Des hommes d'armes, bravant l'ordonnance royale, avaient la prétention d'entrer sans payer et menaient grande querelle. Puis le bruit diminua, les discussions tombèrent. Sur la scène, un charmant petit elfe prune, du bout de ses ciseaux, cueillait la flamme des chandelles comme des fleurs. La lumière montait, brillante et joyeuse. L'elfe souriait à chaque fumerolle vaincue et puis il saluait, heureux, perdu dans un univers où il était seul avec son rêve.

Trente !

Il n'avait aucune envie de quitter la scène. Des bravos crépitèrent. Longuement. Une frénésie de bravos.

Allez donc enchaîner un troisième acte après cela !

— Le vilain effronté ! s'écria Mlle De Brie en le croisant.

Et Gros-René, qui jouait un valet, maugréa :

— Fait-on des choses pareilles ?

Gabriel comprit qu'il avait commis une erreur. Au Palais-Royal, on ne pratiquait pas aussi librement l'improvisation qu'il avait partagée avec Beppino. Un moucheur de chandelles devait avoir le sens de la hiérarchie et ne pas porter atteinte au prestige d'un premier rôle en retardant son entrée en scène. Molière accentuait jusqu'à la farce le personnage de Sganarelle, comme s'il avait voulu se venger de ses demi-succès dans la tragédie où il se sentait contraint, mais il n'en respectait pas moins le vers et était soucieux du rythme de la pièce.

Après les derniers applaudissements, tandis que la salle se vidait de ses spectateurs, La Grange ouvrit son registre pour noter la représentation du jour et la recette fort satisfaisante. Le patron vint le rejoindre.

— Combien, La Grange ?

— Quatre cent dix livres, Jean-Baptiste. Espérais-tu cela ?

— Bon ! Bon !

En directeur de troupe averti, Molière ne voulut pas montrer une trop grande satisfaction. Mieux valait laisser les comédiens dans l'idée que des difficultés subsistaient, dues à l'aménagement de la salle. Et d'ailleurs, n'en subsistait-il pas ?

Gabriel se tenait dans un coin. Il s'était approché, préférant aller au-devant de la réprimande plutôt que se ronger à l'attendre. Molière, assis à sa table, se démaquillait. Il l'aperçut dans le miroir.

— Ah ! Te voilà ! Dis-moi, comment s'appelle la pièce que nous venons de jouer ?

— *L'École des maris*.

— Tiens ! je croyais que c'était *Le Moucheur de chandelles*.

Le garçon s'empourpra. Une boule qu'il voulait contenir se mit à gonfler dans sa gorge. Il allait être renvoyé. Molière s'amusait de la confusion de son protégé. Il lui tournait le dos, il était assis et se graissait le visage pour faire disparaître les traits de Sganarelle. Il dominait la situation. Gabriel était debout, ne sachant que faire de ses mains, cherchant dans le miroir le regard de son maître et ne le rencontrant pas.

— Monsieur, dit-il d'une voix blanche, je vous promets de ne pas recommencer.

Molière se retourna prestement.

— Tu recommenceras, au contraire. Mais en sachant jusqu'où tu dois aller. Le comédien est au service du personnage. Jamais l'inverse.

— Je... Je moucherai encore les chandelles ?

— Oui, puisque Basile nous quitte. Et tu feras ta petite mise en scène. Sans trop en rajouter pour ne pas retarder le spectacle.

Le monde redevenait magnifique. Gabriel n'était pas renvoyé. S'il avait pu, s'il avait su, il aurait exprimé sa reconnaissance, mais les mots ne venaient pas. Il bredouilla une phrase mal commencée, plus mal finie encore. Molière, face à son miroir de nouveau, regarda avec une indulgence moqueuse cet enfant qui apportait une note de fraîcheur au milieu des problèmes de la compagnie.

— Et prends soin de ton habit. Je ne suis pas près de t'en faire tailler un autre !

— Je vais l'ôter, monsieur. Tout de suite !

— Cours d'abord prévenir les acteurs que je les attends ici pour la répartition des parts.

Lorsqu'ils furent rassemblés dans la loge, Molière dit à Gabriel sur un ton affectueux qui était pourtant une injonction :

— Va, maintenant, Picotin ! Va ranger ton beau costume.

Il lui glissa une pièce dans la main, lui donna une tape paternelle. La porte se referma sur les comédiens qui avaient tenu un rôle ce jour-là. Moucheur de chandelles n'était pas un rôle. Gabriel passa aussi vite de la joie d'être pardonné à une indéfinissable tristesse de n'être pas tout à fait admis.

Pendant ce temps, La Grange a divisé ce qui reste de la recette une fois retenu le montant des frais.

— Nous en avons délibéré, vous vous souvenez, rappelle Molière. J'aurai deux parts, à l'avenir, pour le cas où j'envisagerais de me marier.

Chacun prend un air étonné, mais s'abstient de commentaire. Ils ont devant eux un homme qui aime une jouvencelle de vingt ans sa cadette. Ce n'est un secret pour personne. Ils viennent de soulever les rires avec cela. Les répliques résonnent encore en eux. Sous le costume de Sganarelle, Molière a le cœur de Valère.

— Je dois vous annoncer une nouvelle, poursuit-il, heureux de changer de sujet. Le surintendant des Finances s'est mis en tête de montrer son château de Vaux-le-Vicomte au roi. Il veut une fête fastueuse qui signera sa position dans le royaume et la gloire de son nom. Il m'a demandé un divertissement. Ce sera le dix-sept août. Nous sommes le vingt-quatre juin et je n'en sais pas le premier mot.

Gabriel enfila sa bonne vieille culotte de tous les jours avec un certain soulagement, de même le gilet d'une couleur puce assez imprécise. Une tenue adaptée à l'escapade qu'il s'était promise. Il sortit de la maison sans que quelqu'un s'en aperçût. Qui se souciait de lui ? Une sensation de liberté le portait. Dans la ceinture, il avait la pièce gagnée à moucher les chandelles. Il était riche de dix sols sans avoir à se soucier du lendemain.

Que ce lendemain pût être décevant était une autre histoire.

Sur la place de Grève[1], les feux de la Saint-Jean éclairaient la nuit pour le second soir consécutif. La foule voulait prolonger la fête.

---

1. Aujourd'hui, place de l'Hôtel-de-Ville.

Venue de tous les quartiers de Paris, elle mêlait le bourgeois campé dans une attitude de méfiance prudente, la main crispée sur sa bourse, et le coureur de ruelles à l'affût d'une occasion fructueuse. Tout était possible en ces heures de liesse, tout devenait permis. On riait, on chantait, on s'interpellait avec un entrain communicatif. On détroussait aussi.

Les flammes crépitaient, dévorant ce qui leur était jeté à pleines brassées, fagots et vieux bois, paille souillée des écuries, broussailles des terrains vagues. Elles s'élevaient avec des explosions d'étincelles, des envols d'escarbilles, et les cris redoublaient, les rondes se nouaient.

Quand un brasier déclinait, ne laissant que des cendres rougeoyantes d'où montaient encore des échappées de feu, les hommes bondissaient par-dessus. Les femmes riaient à pleine gorge en retroussant leurs jupes des deux mains pour mieux sauter. Des galants d'un moment les entraînaient dans un tourbillon qui les rendait haletantes, à demi pâmées.

Au milieu d'une longue chaîne de farandoleurs, Gabriel vit passer un jupon rouge comme un coquelicot, qui se balançait au rythme de la course. Le temps de le reconnaître, il était déjà loin.

— Amapola !

La jeune fille ne l'entendit pas, ne l'aperçut pas non plus. Elle se donnait tout à la danse. La ronde l'emportait. Gabriel voulut la rattraper. Un autre groupe les sépara.

— Amapola !

Tête baissée, il se jeta au cœur de la mêlée qui l'enfermait. Des épaules, des mains, des pieds, il se fraya un passage. Les coups pleuvaient sur lui, les plaisanteries, les insultes. La bousculade le roulait, l'écrasait. Amapola virevoltait dans la lumière tourbillonnante des flammes, si proche et pourtant il ne pouvait la rejoindre.

Pour la seconde fois de la journée, il se sentit rejeté. Un monde se refusait à lui. Tel était son destin, peut-être.

La fête soudain ne l'attirait plus. Un marchand d'oublies[1] déambulait, des petits gâteaux plein sa corbeille. Il était venu avec l'espoir de profiter des réjouissances pour gagner quelques

_____
1. Pâtisseries en forme de cornets.

sous. Mais les cornets qu'il disait craquants à souhait ne tentaient pas les danseurs endiablés. Plus tard dans la soirée, avec un peu de chance... Il attendait.

Gabriel lui acheta deux oublies. Avec un peu de chance, lui aussi, il reverrait plus tard Amapola. Ils les mangeraient en partageant la joie de ceux qui s'aiment et se retrouvent.

— Elles sont toutes fraîches, dit l'homme. Les premières que je vends !

Elles n'étaient pas toutes fraîches, il mentait avec une roublardise de marchand et une naïveté d'enfant. C'était un petit cadeau qu'il offrait en supplément à qui achetait ses oublies.

— Vends-les jusqu'aux dernières, répliqua Gabriel.

Et lui était sincère complètement. Une tristesse subite le rendait sensible au sort de cet inconnu.

Les heures s'en allaient. Personne n'y pensait. Vint pourtant celle où les flammes diminuèrent au-dessus des brasiers qui avaient tout consumé. Sur la berge, des corps épuisés de danses et de cris étaient allongés, pris par le sommeil ou reculant le moment de retourner à une soupente obscure, un grabat crasseux.

Depuis longtemps, les bourgeois avaient regagné leur logis, tiré le verrou et soufflé la chandelle avec le sentiment de s'être encanaillés un peu et la satisfaction, pour certains, d'avoir échappé aux coupe-bourses de la nuit.

Du côté de la Bastille, le ciel commençait à s'éclaircir. Une longue traînée pâle, d'un bleu argenté, effleurait les toits. Le jour de l'été naissant pointait, et avec lui, toutes les promesses qu'un cœur de jeune garçon pouvait contenir, malgré la déception d'une fête qu'il n'avait pu partager. Amapola avait disparu dans le flamboiement des bûchers. Elle avait rejoint la maison de Catoche. Et celle de Molière, au petit matin, aurait la porte barrée.

Assis au bord de l'eau, Gabriel mangea les oublies.

6
Vaux-le-Vicomte

*L*OUIS XIV est de méchante humeur. La fournaise devient accablante, même sous les feuillages de Fontainebleau. Devant le perron, les carrosses se rangent au milieu d'une cavalcade de gardes-françaises et de mousquetaires. D'Artagnan veille au bon déroulement des préparatifs, la botte ferme dans l'étrier et le verbe gascon toujours aussi sonore à cinquante ans. Les chevaux, énervés par l'orage qui menace, piétinent. Les laquais courent, suant et soufflant, abaissent les rideaux des portières, déplient les marchepieds, tapotent le velours des banquettes. C'est la grande agitation du train royal sur le point de se mettre en chemin. Toute la cour attend, en cherchant un peu d'ombre, le moment de s'enfermer dans les voitures déjà surchauffées par la canicule d'août. Les princes et les ducs transpirent sous le brocart et les dentelles. Les dames essaient de se préserver du soleil qui gâterait leur teint. Seuls l'or et les pierreries gagnent à cette luminosité cruelle. Ce n'est partout que scintillements et feux lancés.

Quand le carrosse paraît, attelé de six chevaux blancs, il faut bien se résoudre à prendre place dans la longue suite. Grands cols empesés et larges manches serrées par des rubans pour les faire bouffer, aigrettes de diamants et plumes d'ibis, rhingraves[1] et bottes élargies en corolle, canons et rabats s'engouffrent par les portières armoriées, se pressent, s'écrasent avec des soupirs de courtisans disposés à toutes les concessions, un sourire parfois quand les dents sont encore belles, et de petits cris effarouchés auxquels répondent des mots d'esprit qu'il est nécessaire de savoir trouver sur l'heure si l'on veut se maintenir à la cour.

La reine mère s'avance vers le carrosse aux chevaux blancs avec un peu de mauvaise grâce.

---

1. Hauts-de-chausses portés au XVIIe siècle.

N'est-ce pas folie de courir les routes par un après-midi aussi brûlant ? Puis arrive le roi, enfin, qui ne laisse rien paraître de ses pensées. Simplement, on remarque – tout se remarque à Fontainebleau comme au Louvre – qu'il a fait doubler le panache de son chapeau. Il y a là sans doute une intention. La perspective d'un événement qui se prépare fait oublier les inconvénients du voyage.

— Sa Majesté a-t-elle dit son sentiment ?

— En aucune façon, madame.

— La reine ne l'accompagne pas ?

— Voudriez-vous exposer le futur héritier de la Couronne aux cahots de cette journée ? Cela serait de la plus haute imprudence ! Nous en sommes au septième mois !

— Êtes-vous sûr du compte, monsieur ?

— Du moins le dit-on.

Des cahots, il n'en manqua pas. Les roues grinçaient dans les ornières sèches et dures. Les chevaux soulevaient un nuage si épais qu'il finissait par cacher ceux qui s'amoncelaient à l'horizon. Le ciel ardait, sans un souffle. Il y eut quelques pâmoisons. Les mouchoirs parfumés n'y suffisaient plus. On s'éventait l'un l'autre, on transpirait surtout. Pardieu, qu'on transpirait ! On en venait à envier ces braves paysans qui abandonnaient la faux des moissons pour se planter au bord du champ, cuits de soleil, le bonnet à la main. Ils n'étaient pas enfermés, eux, dans ces marmites roulantes, préfigurations de l'enfer.

« Heureux moissonneurs, pensait-on, qui vivent sans contraintes ! »

Dans le carrosse royal, Anne d'Autriche avait fermé les yeux pour ne pas être obligée de s'apercevoir que son fils avait l'humeur sombre. Louis observait un mutisme boudeur et elle savait qu'elle ne pourrait trouver le moyen de l'en tirer. Autant l'ignorer.

L'après-midi était fort avancé quand Monsieur, écartant d'un doigt las le rideau, annonça à Madame :

— Je crois bien que nous arrivons.

Madame Henriette eut un petit hennissement. Elle était incapable désormais d'ajouter un mot. Sa tête renversée ballottait au rythme de la course. Sous ses jupes, son pied chercha le soulier si étroit dont il s'était libéré. Un froncement de sourcil, une légère crispation des lèvres montrèrent qu'il l'avait retrouvé.

Le dernier galop dans une allée ombreuse ranima les cœurs. Les voitures débouchèrent sur une esplanade au centre de laquelle on reconnaissait l'art du maître des jardins qu'était Le Nôtre. Le beau château s'imposait aux arrivants, cerné de douves et de parterres.

Fouquet est seul, en haut de l'escalier, souverain d'un domaine merveilleux. Il désire qu'on le sache et refuse de croire au péril qu'il encourt. Ce serait limiter sa stature. S'il faut parer à un imprévu, il le fera.

La lettre de Mme du Plessis est oubliée.

Au moment même où le roi met pied à terre, Nicolas Fouquet ôte son chapeau et descend les marches. Il s'arrête à la dernière et s'incline avec une grandeur qui pourrait être de l'arrogance. Louis XIV a un sourire un peu forcé.

Si des mots de bienvenue sont échangés, personne ne les entend. Trop habile, le surintendant s'arrange pour que cela soit un secret entre le roi et lui. Il entraîne aussitôt son royal visiteur dans les jardins où il fait le geste tant de fois imaginé au cours de ses promenades solitaires.

Des deux côtés de l'allée, des jets d'eau s'élèvent, des fontaines coulent, d'imprévisibles cascades éparpillent une poussière de fraîcheur que les courtisans reçoivent comme un baume après les brûlures du voyage. Mille sources captées, une rivière détournée apportent ce miracle jaillissant entre les statues de marbre et les ifs savamment taillés. Tout est parfait, tout est surprenant et Louis s'en offense.

Vaux-le-Vicomte est plus beau que le Versailles qu'il a le projet de construire.

Un souper fut servi au son des violons, dans une vaisselle d'or. Le roi pouvait voir sur les tables tendues de nappes ornées au point d'Alençon des trésors étincelants comme jamais encore il n'en avait eu sous les yeux. Sa jeunesse s'était accommodée jusque-là de ce que ses ancêtres avaient laissé en héritage avec la charge du trône dans un Louvre ténébreux. Pendant que les mets les plus exquis se succédaient, il se demandait quels abus, exactions et autres malversations étaient à l'origine de ce luxe insolent. Une sourde colère l'habitait, qu'il tenta de dominer tant que dura le souper.

Les heures s'écoulaient, brillantes et somptueuses. Nicolas Fouquet tremblait à l'idée qu'un incident malencontreux pût troubler le cours de la soirée. Le ciel s'assombrissait au-dessus du parc malgré les illuminations, et ce n'était pas seulement parce que la nuit venait. Un orage menaçait. Des grondements, lointains encore, l'annonçaient.

Après le génie de Vatel, qui avait porté le souper royal à un degré de perfection inégalé, vint le tour de Molière.

Jean-Baptiste avait écrit à la hâte une comédie-ballet qu'il intitula *Les Fâcheux*. Le Brun avait dessiné les décors. Giacomo Torelli imagina une prodigieuse machinerie qui permettait de changer à vue ces derniers et de mener ainsi les spectateurs de surprise en surprise, avec une étonnante rapidité. Le sujet ne pouvait que plaire à Sa Majesté. Rire de ces importuns qui surgissent au moment où on le désire le moins, vous assomment avec leurs histoires qui n'ont d'intérêt que pour eux, et qui, le pire des crimes, se mettent en travers de votre route quand vous courez à un rendez-vous amoureux.

Molière avait tenu parole et donné à Madeleine l'occasion de briller au long d'un prologue qui était un éloge du roi composé par Louis Pellisson, un écrivain que Fouquet protégeait.

Pour voir en ces beaux lieux le plus grand Roi du monde,

Mortels, je viens à vous de ma grotte profonde.

Elle surgissait d'une coquille entourée de jets d'eau, nymphe plus qu'à demi dénudée, la voix toujours magnifique allant au secours de charmes qu'on apprécia diversement.

Et puis La Grange entra en scène, amant poursuivi par les fâcheux qui, presque tous, sous des aspects variés, avaient le visage de Molière. Entre deux intermèdes musicaux qui lui permettaient de changer de costume, entre deux danses qui lui laissaient à peine le temps de souffler, Jean-Baptiste fut ces gêneurs qui empêchaient Eraste de rejoindre Orphise.

Gabriel avançait en un rêve éveillé. Ce soir-là, au domaine enchanté de Nicolas Fouquet, les chandelles étaient si nombreuses qu'il n'aurait pu suffire pour les moucher. Le théâtre ruisselait de lumières. Il faisait chatoyer les costumes des satyres et des nymphes, des danseurs et des dames, des seigneurs et des valets.

« Tu emporteras ton habit prune », avait recommandé Molière.

Il était un petit valet de comédie. Un petit valet de rien du tout, qui ne dansait pas et n'avait mot à dire. Qui était là pour faire nombre. Qui passait en marchant sur une musique allègre, mais n'est-ce pas déjà un rôle que de passer en marchant sur une musique allègre ?

Et devant le roi !

Le cœur battant, l'esprit aux anges, il passa et il en garda un bouleversement tel que la nuit ne serait pas trop longue pour en venir à bout.

Il avait besoin de repenser à la grisante sensation qu'il venait de découvrir. Un monde féerique s'ouvrait à lui. Le roi avait ri. Oui ! Oui ! Il en était sûr, le roi avait ri. N'était-ce pas lui qui l'avait fait rire ? Pourquoi ne serait-ce pas lui ?... Pas rire pour se moquer, non, non ! Parce qu'il avait vu ce petit bonhomme étonné allant joyeusement sur les pas d'un autre valet, léger dans son habit prune, tout brillant de l'éclat que lui donnait la scène.

Après qu'il se fut joint aux comédiens pour saluer sur une musique triomphale, le petit bonhomme ne s'attarda pas avec la troupe. Catherine De Brie prolongeait les minauderies d'Orphise pendant que Marquise Du Parc, majestueuse et altière Clymène, récoltait son habituelle moisson de compliments. Il gagna le couvert des grands arbres, à la recherche d'un coin d'ombre où garder son bonheur.

À peine les violons et les hautbois s'étaient-ils tus qu'un feu d'artifice éclata autour du château. Des torrents de feu ruisselèrent des toits, des bouquets de constellations explosèrent au-dessus des jardins, dans un fracas auquel – mais personne à part peut-être Fouquet ne s'en aperçut – se mêlaient les premiers roulements de l'orage.

Pour mieux voir sans être vu, Gabriel grimpa prestement à un arbre. Assis à la fourche la plus haute, il se trouvait au milieu d'une fête de flammes et de magnificence. Les invités se promenaient au loin, se massaient le long des buis et au bord des fontaines tandis que des gerbes d'étoiles croulaient autour d'eux. Lui était à l'écart et c'était bien ainsi. Trop d'émotions l'avaient secoué, le secouaient encore. Rompu de fatigue et brisé de joie, il s'endormit.

Tout à sa méditation après le spectacle auquel il venait d'assister, M. de La Fontaine cherchait lui aussi un instant de solitude. Les nymphes continuaient de chanter et de danser pour lui seul. Il les revoyait, douces et belles, batifolant parmi les cascades et les jets d'eau.

La comédie-ballet *Les Fâcheux* avait eu beaucoup de succès. Elle avait plu au roi, qui s'en était amusé, et ravi M. de La Fontaine, qui s'assit sur le gazon frais tondu au pied de l'arbre pour trouver son content de réflexion. Des vers couraient dans sa tête en demandant qu'y fût mis un peu d'ordre.

Ce moment loin de ses semblables l'aurait rendu pleinement heureux si un poinçon d'inquiétude avait bien voulu lui accorder plus de tranquillité. L'ami des bois, des buissons et des landes, qui flânait dans la vie, nonchalant jusqu'à l'indolence, avait saisi à quel point un pareil étalage de puissance pouvait déplaire au roi. Son protecteur, il le sentait, se tenait au bord d'un gouffre.

Il en était là de ses craintes quand Gabriel, s'abandonnant au sommeil, vacilla et chuta sans avertir sur le dos de M. le maître des Eaux et Forêts.

— Qui êtes-vous ?

— Picotin du Pont-Neuf !

— Moi, je suis Jean de La Fontaine.

C'était peu agréable de recevoir ainsi, dégringolant on ne savait d'où, un garnement qui, selon toute apparence, ne songeait même pas à se montrer confus. M. de La Fontaine se frotta la nuque avant de s'appuyer au tronc.

— Je croyais que les petits garçons naissaient dans les choux, mais voilà qu'à présent ils tombent des arbres. C'est très dangereux.

— Je ne suis pas un petit garçon !

— C'est encore plus dangereux.

— Je suis un comédien de la troupe de Monsieur et j'ai joué devant le roi !

— Fort bien. Votre arrivée sur mon dos me rappelle une histoire que j'ai entendue naguère à la foire Saint-Germain. Un bateleur racontait qu'un villageois estimait la Création mal calculée par son Créateur. Pourquoi la citrouille, si grosse, si ronde, croissait-elle au ras de terre, rattachée à la plante par une tige si mince alors que le gland, si menu, poussait sur le grand chêne ? N'aurait-elle pas été un plus beau fruit pour l'arbre ? Il y avait là, de toute évidence, erreur de jugement, pensait notre villageois.

— Ça, c'est vrai ! acquiesça Gabriel, qui ne voyait pas où son interlocuteur voulait en venir et qui souhaitait faire oublier sa chute malencontreuse.

La Fontaine continua. Il se parlait à lui-même, pris par l'idée que cet accident avait fait naître.

— Le villageois pensa autrement quand, levant la tête pour surprendre un geai au cours d'une promenade dans les bois, il reçut sur le nez un de ces menus glands. Comment aurait tourné l'affaire si la citrouille avait été le fruit du chêne ?

Gabriel rit de bon cœur, sa gêne envolée.

— Mais moi, monsieur, je suis tombé sur votre dos et pas sur votre nez.

Le poète suivait son imagination. Les nymphes l'avaient quitté. D'autres propos occupaient son esprit.

— Ce serait, me semble-t-il, un beau sujet de fable. J'aimerais bien trousser des fables. J'y penserai...

Il chercha à tâtons son chapeau abandonné sur l'herbe, se leva et, sans un mot d'adieu, la tête pleine maintenant de citrouilles et de glands, il disparut dans la nuit.

Gabriel voulut s'assurer que son bel habit prune n'avait pas souffert de l'aventure. Les basques étaient intactes, le col aussi. La ceinture se trouvait à sa place, la culotte...

Horreur ! Le fond de la culotte !... Il en resta bouche bée.

Des éclatements de feu d'artifice l'aveuglaient, l'assourdissaient. Jamais on n'avait autant embrasé le ciel. La forêt semblait prendre feu ; le château allait s'écrouler au cœur d'un incendie multicolore. Des explosions faisaient trembler la terre. Pour une minute de la plus grande prodigalité, les musiques s'étaient tues.

Et les doigts de Gabriel, tripotant fébrilement le fond de la culotte, enlevèrent tout espoir au pauvre garçon.

Le fond était bel et bien déchiré.

Qu'allait dire Molière ?

Les paroles du directeur de la troupe lui revenaient en mémoire, entendues au moment où, avec une indulgence paternelle, celui-ci pardonnait le numéro de moucheur de chandelles improvisé.

« Prends soin de ton costume. Je ne suis pas près de t'en faire tailler un autre. »

Seul dans le parc, il n'opposa aucune résistance au découragement. Il pleura comme l'enfant qu'il était encore par bien des côtés, même s'il avait prétendu à M. de La Fontaine qu'il n'était plus un petit garçon.

— Comment je vais faire ?

Réparer lui-même la culotte n'était pas envisageable. Jamais il n'avait tenu une aiguille. D'ailleurs, il n'avait pas d'aiguille. Pas de fil non plus. Les actrices du Palais-Royal n'étaient pas, à proprement parler, des raccommodeuses expertes. Elles possédaient l'art de dire les vers, de pleurer au premier ou au deuxième acte et de rire à gorge déployée au cinquième, de jeter des œillades assassines et de virevolter joliment sur un air de courante ou de menuet, mais les voir ravauder un accroc, il ne fallait pas s'y attendre. Auraient-elles accepté seulement de le faire ? Madeleine peut-être, si elle avait, une fois au moins dans sa vie, enfilé une aiguille. Armande, sûrement pas. Quant à Mlles De Brie et Du Parc, mieux valait ne pas leur poser la question.

« Elles pousseraient des cris de pintade ! », se dit Gabriel.

Cette réflexion le fit sourire. Il imaginait la scène et se sentit mieux. À quoi servait de pleurer ?

Il pensa encore à une vieille servante de la maison. Elle devait savoir, elle. Mais ce qu'elle ne savait pas, c'était tenir sa langue.

Et il n'était pas question que Molière l'apprît.

On devait reprendre *L'École des maris* pendant le mois d'août. Il y aurait quelques jours de relâche après la création précipitée des *Fâcheux*. Cela donnait le temps de se retourner.

« Je trouverai un moyen ! » pensa Gabriel.

Il revint au logis mis à la disposition des comédiens. Il n'y rencontra personne. À la lueur d'un lumignon qui brûlait seul, loin des lumières de Vaux-le-Vicomte, il ôta son costume sans un regard à la déchirure, l'enveloppa avec précaution comme il l'eût fait pour un oiseau blessé, avant de revêtir ses nippes de Picotin.

7

L'orage

IL AVAIT TARDÉ, mais il finit par éclater. La chaleur accumulée dans la journée avait rempli le ciel de feu, et le ciel explosa d'un coup, au moment où le roi entrait dans le salon ovale. On eût dit que les éléments n'avaient osé porter atteinte à la royale majesté.

Il n'en fut pas de même pour les autres invités, certains contant fleurette ou papillonnant dans les allées du parc. Des trombes d'eau flétrirent les satins damassés, dévastèrent les frisures savamment échafaudées et les rubans, coupant court à des galanteries joliment enlevées et près de toucher au but. Les éclairs jetèrent les marquises apeurées dans les bras de chevaliers servants qui fanfaronnaient, mais dont plusieurs étaient moins rassurés qu'ils ne le prétendaient. Chacun courait en entraînant l'objet de ses pensées dans la lumière bleue qui, le temps d'une zébrure effroyable, éclairait le château comme en plein jour, tandis qu'un fracas de titans furieux menaçait les toitures, les écrasait sous un déluge assourdissant.

Vaux-le-Vicomte résistait, orgueilleux et solide, cinglé de foudre et ruisselant de pluie, mais il eût suffi d'un éclair plus ardent, d'un entrechoc plus violent de nuages pour libérer des forces destructrices capables de l'anéantir avant que la nuit s'achevât.

Anne d'Autriche s'était retirée dans l'anti-chambre des appartements du roi, trop heu-reuse d'un moment de repos après ces festivités qui l'avaient lassée. La colère du ciel ne l'im-pressionnait pas. Elle avait connu d'autres tour-mentes. Tandis que les dames de sa suite se répandaient en exclamations horrifiées chaque fois qu'un coup de tonnerre s'acharnait sur le château, elle contemplait avec un détachement princier la portière de tapisserie qui exhibait en son centre l'écureuil, emblème du proprié-taire des lieux. Ainsi, à l'entrée de la chambre destinée au roi, le surintendant rappelait sa puissance.

La reine réfléchissait, alourdie de bruit, de veille et de bonne chère, dans le brasillement des candélabres. Au long de la soirée et en particulier pendant le souper, elle avait surpris les marques d'irritation sur les traits de son fils. Pourquoi ce mécontentement alors que lui était offerte une fête sans pareille ? Parce que le surintendant s'était scandaleusement enrichi ? Le cardinal ne s'était-il pas enrichi, lui aussi ? Et pourtant il avait bien servi la Couronne pendant que, régente parfois déroutée, elle avait dû gouverner le pays en proie à des troubles.

Cher Mazarin ! La mort récente de celui avec qui elle avait régné fit monter en elle une émotion subite que, dès le premier jour, elle était parvenue à dissimuler. La fatigue s'emparait de son esprit. Pour la dominer, elle rejeta des pensées auxquelles, en reine caparaçonnée d'impassibilité, elle ne se livrait que dans le secret de sa chambre.

« Chagrin de vieille femme ! » se réprimanda-t-elle.

Elle parcourut du regard la pièce ornée de ce qu'un mécène épris de beauté avait rassemblé pour satisfaire à ses désirs. Elle se sentait pleine d'indulgence envers l'écureuil, effronté certes, mais qui ajoutait une inexplicable candeur à son effronterie. Le surintendant était un homme habile dont la Couronne avait besoin. Cette habileté avait un prix, il fallait le payer.

Louis XIV était loin de juger de même. Il voulut voir chaque pièce afin de mieux entretenir sa rage. Au moment où il passait devant le cabinet de Fouquet, un visage vint à sa rencontre dans l'embrasure de la porte. Il en reçut la révélation comme une gifle. Louise, dans la lumière ardente des bougies qu'un adorateur avait voulues nombreuses, semblait se détourner de lui, telle une petite fille prise en faute. Comment son portrait était-il arrivé là et quelle signification devait-on donner à cette nouvelle impudence ?

La plus grande de toutes.

N'était-ce pas assez que l'insolent pillât ses coffres ? Se pouvait-il encore qu'il le blessât au cœur ? Une jalousie de jeune homme s'empara du roi. Elle trouva un écho dans les éclatements de l'orage, le bruit de la pluie qui tombait à verse, dans les débordements de la nuit qui, après tant d'or, de musique et de danses, lâchait ses plus méchants démons au moment de clore l'outrageante fête.

Louis avait blêmi, mais il cacha le sentiment qui le bouleversait. Louise était à lui. Louise l'aimait. Et cependant peut-être comme on aime un roi, non comme celui que l'âme a choisi.

Ses yeux revinrent au portrait, le scrutèrent pour interroger le regard qui se dérobait. Était-il aimé ? Le doute s'emparait de son esprit. C'en était trop ! Le souverain avait été offensé et, pour finir, l'homme, en lui, se trouvait atteint. À la sombre impénétrabilité extérieure de Louis répondit le brusque et stupéfiant calme de la nature apaisée. L'orage avait épuisé ses fureurs.

Le roi demanda son carrosse.

Aussitôt des trompettes sonnèrent, cent trompettes dissimulées dans l'ombre, auxquelles répondirent les salves de fusées jaillissant des toits pour un dernier hommage à l'invité royal ou pour une ultime provocation. Les mousquetaires, droits sur leur selle, caracolaient. Les attelages tournaient en une ronde précipitée qui mêlait le grincement des roues aux hennissements des bêtes énervées.

À l'instant où le roi franchit la porte, Nicolas Fouquet s'inclina profondément.

— Sire, dit-il, Vaux-le-Vicomte est à Votre Majesté.

Louis eut un mouvement de tête qu'il ne put refréner. En présentant le poing haut levé à la reine mère, il attendit que celle-ci y posât sa main puis, sans un mot à l'amphitryon [1] assailli soudain d'inquiétude, ignorant les fanfares et les fusées, il se dirigea vers le carrosse aux chevaux blancs.

Fouquet demeura seul sur le parvis de son château. La dernière voiture se fondit dans la nuit et tout prit alors une apparence étrange. Les serviteurs éteignaient les lumières une à une, rendant le domaine aux ténèbres. Les cascades se turent, les jets d'eau s'affaissèrent. Là-bas, du côté des communs, ceux qui avaient contribué à la somptuosité de la fête se retiraient. On entendait encore des roulements sur le gravier, des appels, des départs. C'était comme un navire que l'on abandonnait.

Dans le ciel débarrassé de ses nuages, une grosse lune ronde monta. Elle avait l'air hilare.

---

1. Hôte.

Mme Fouquet fit quelques pas dans l'ombre pour venir à la rencontre de son mari. Pendant toute la soirée, elle avait joué avec une parfaite réserve le rôle de l'épouse effacée.

— Qu'en pensez-vous, ma bonne ?

— Ce que j'en pense ? Qu'il est urgent de réaménager notre maison de Belle-Île. Nous pourrions avoir à y demeurer longtemps.

Lorsqu'ils eurent atteint la campagne par des chemins détrempés, le ressentiment du monarque se donna libre cours.

— J'aurais dû le faire arrêter dès la fin du souper.

La reine, qui avait prévu l'impétuosité sur le point de se déchaîner, s'était pelotonnée dans l'angle de la voiture pour tenter d'en différer le commencement. Elle eut un haut-le-corps.

— Ce n'était pas possible. On ne fait pas arrêter quelqu'un alors qu'il vous offre son hospitalité.

Louis répliqua avec trop de mordant.

— Appelez-vous cela de l'hospitalité, madame ? Trouvez-vous juste une pareille montre de richesses usurpées, qu'un roi de France lui-même ne pourrait s'accorder ? La royauté a été humiliée aujourd'hui et je vous le garantis, ma mère, cette humiliation sera la dernière que je souffrirai. Dorénavant je ne veux partager le pouvoir avec personne. Je n'aurai que des serviteurs assidus qui attendront tout de mon bon vouloir.

— Un roi soucieux du bien de son royaume ne peut se dispenser de collaborateurs.

— J'en aurai, mais ils seront sous mon autorité. Et, c'est décidé, il n'y aura plus de surintendant des Finances.

— Comme vous vous emportez, mon beau sire ! Ôterez-vous à chacun votre confiance ?

— Oui. Vous qui avez vécu la Fronde, pouvez-vous faire confiance à des gentilshommes qui ruminent des projets de subversion dans leurs castels et sur leurs terres ?

— Certes..., se contenta de répondre la vieille reine en se souvenant des épreuves passées.

— Ils n'y resteront pas, sur leurs terres ! Je bâtirai un palais assez vaste pour les y garder tous, et d'orgueilleux rebelles je ferai des courtisans.

— Accepteront-ils ?

— Non seulement ils accepteront, mais encore ils se ruineront pour une soupente à Versailles !

Anne soupira. L'heure était tardive, le chemin raboteux et elle avait sommeil. Elle bougonna :

— Où trouverez-vous les fonds pour une telle entreprise ?

Louis se rejeta dans l'autre angle du carrosse. Buté, il profita de l'obscurité à peine percée par le reflet du fanal accroché à la portière pour exhaler son dépit.

— Je prendrai dans les réserves de ce Fouquet.

*
**

À l'intérieur des deux coches qui ramenaient la troupe de Molière à Paris, l'heure était à la gaieté. Madeleine avait retrouvé un peu de sa jeunesse, le temps d'un de ces moments miraculeux qu'accordent les sortilèges du théâtre. Elle rayonnait tout en sachant que, dès l'aube, le miracle disparaîtrait devant la dure réalité.

— Tu étais très belle, ma Béjart ! s'écria Molière en passant un bras autour des épaules de la comédienne. Très belle et très bonne !

— Bonne à quoi ? répondit-elle avec coquetterie.

— Bonne comme on dit d'un acteur qu'il est bon, pardi ! Tu as accroché le public, tu as dit le prologue magnifiquement avec ta voix plus charmeuse que celle des fontaines...

— Flatteur, quelle tirade !

Madeleine était trop rompue aux compliments de coulisses pour s'y laisser prendre. Elle écouta pourtant avec plaisir les louanges qui lui étaient adressées. Redevenue la fidèle collaboratrice des jours anciens, elle ajouta :

— Et toi, tu t'es lancé dans une aventure dont nous ne voyons pas encore toutes les conséquences.

— Laquelle ?

— En répondant au désir de Sa Majesté, tu as brossé des portraits et tu t'es moqué des ridicules de la cour et de la ville. Très bien, tout le monde a ri. Mais certains se sont reconnus. Tu peux être sûr d'avoir maintenant quelques bons ennemis fort rancuniers qui chercheront à te le faire payer. D'autant plus que, désormais, on viendra voir tes pièces pour mettre sur tes personnages le nom de gens qui occupent le haut du pavé.

Molière l'écoutait avec attention et prenait cette mise en garde à la légère. Il avait la protection du roi, que pouvait-il craindre ? Il éclata d'un rire bruyant qui fit sursauter Armande à demi endormie, plus encore que ne le faisaient les cailloux éparpillés sur le chemin.

— Nous en aurons davantage de succès. Tout le monde a ri parce que le roi a ri. Il a été séduit au point d'oublier pour un moment certain déplaisir qui n'était que trop visible, l'heure d'avant, malgré une royale maîtrise de soi. Si je parviens à obtenir la charge des divertissements de Sa Majesté, qu'importeront les grincheux, les bilieux, les fâcheux ?...

Madeleine voulut aller au bout de sa pensée.

— On te prêtera des intentions que tu n'auras pas eues.

Puis, brusquement, en comédienne vite retournée à la préoccupation d'elle-même :

— Y avait-il assez de lumière, au moins ? Rien ne vieillit plus une actrice qu'un trop-peu de lumière.

Jean-Baptiste se pencha vers elle, l'embrassa dans le cou pour lui prouver qu'elle était toujours aussi charmeuse, aussi éblouissante, aussi unique. Et puis, cherchant un qualificatif qui la rassurerait, il lui dit, du rire encore dans la voix :

— Tu as été divine.

Ils revivaient un peu l'époque de leurs pérégrinations à travers les provinces, mais ce n'était plus maintenant le temps des précarités et des incertitudes. Ils étaient arrivés à une consécration, ils étaient riches, reconnus... Et leur jeunesse avait passé. Une nostalgie leur venait, une sorte de regret.

— Allez ! Dormons ! décréta Molière.

Il avisa le jeune Gabriel recroquevillé dans un coin, son balluchon sur les genoux.

— Que portes-tu là avec tant de soin ?

— Mon costume, répondit le garçon en se disant que l'heure redoutée allait sonner.

— Donne-le-moi.

Gabriel resta sans bouger. Son cœur battait fort. Son esprit courait à la recherche d'un petit mensonge pour expliquer le désastre. Il ne trouvait rien.

— Eh ! Tu n'as pas entendu ?

— Si ! Si !

À bout de bras, il tendit le paquet enveloppé dans un morceau de toile. Le maître voulait sans doute vérifier l'entretien du précieux costume. Heureusement, le clair de lune ne ménageait qu'une pénombre à l'intérieur du coche.

Molière tapota le paquet, puis, le calant sous sa nuque, il s'en fit un oreiller.

8

Dans une mauvaise passe

ÈS LE LENDEMAIN, Gabriel se prépara à son plan de sauvetage du costume. Il dissimula le paquet sous sa paillasse. Là où il allait, la culotte aurait pu connaître des mésaventures pires qu'une rencontre avec la pointe acérée d'une branche, en tombant d'un arbre.

Le recoin qu'on lui avait attribué dans la grande maison des dépendances du Palais-Royal était bien rangé, ce qui n'était pas difficile puisque Gabriel possédait si peu, à vrai dire presque rien. La paillasse recouvrait l'objet de son souci, mais, plus précautionneux encore, le garçon posa dessus un vieux chapeau trouvé, il y avait fort longtemps, à peu près deux ans, dans un fouillis de roseaux au bord de la Seine. Le vent en avait décoiffé un pêcheur, et le courant l'avait déposé là, tout juste pour que le petit traîne-la-faim à son tour s'en coiffât.

C'était du moins ce qu'il s'imaginait. Il ne s'en était jamais séparé.

Quand il revit la masure de la mère Catoche, il crut entrer dans un autre monde. Il l'avait pourtant quittée depuis peu pour un pays de lumières et de soies. Le contraste n'en était que plus frappant. Comment avait-il pu vivre là ? Autour de la maison, des ordures jonchaient la berge. Des chiffons s'accrochaient à la haie sauvage. Le sol n'était que fondrière et la façade exhibait la lèpre de son ciment écaillé sous un toit de guingois aux tuiles envolées en grand nombre.

Gabriel eut une hésitation. Dissimulé derrière une cabane, il attendit un événement indépendant de sa volonté pour se hasarder plus avant. Celui-ci ne tarda pas à se produire. Catoche parut sur le seuil, plus crasseuse que jamais, plus renfrognée aussi. Un chien passait par là, en quête d'un os ou d'une tripe de lapin, l'œil torve et la queue entre les pattes. Elle le reçut avec un coup de savate et une longue suite de jurons sonores qui dirent au chien tout le mal qu'elle pensait de lui. La bête n'insista pas.

La réapparition de son jeune locataire laissa la femme sans voix. Pas pour longtemps.

— Ah ! Te voilà, toi ! Qu'est-ce que tu viens demander encore ?

— Moi ? Rien.

Elle l'inspecta de la tête aux pieds, l'air méfiant.

— On dit ça !

Puis, redoublant d'une ironie acide :

— Dis donc voir ! T'as pas l'air d'avoir fait fortune depuis qu't'as levé le camp sans prévenir. Regardez-moi ces affûtiaux !

Gabriel sacrifia la prudence au plaisir de lui clouer le bec.

— Justement, c'est pour ça que je suis venu. J'ai remis mon mauvais paletot parce qu'il est arrivé un malheur au beau costume que M. Molière m'a donné.

Au nom de Molière, Catoche ouvrit des yeux ronds.

— Jamais entendu parler de ce particulier !

— Le plus grand directeur de théâtre. Tu t'attendais pas à ça, hein, Catoche ?

— Et tu le connais, ce... ce... ?

— Molière.

— Ce Molière ?

— Parfaitement. Même que je travaille pour lui. Et puis, tiens, je peux te le dire, j'ai joué devant le roi pas plus tard qu'hier.

— Alors, t'as de l'argent !

Il sentit qu'il s'avançait en terrain dangereux et ne répondit pas. Ce silence conforta la mégère dans sa conviction. Il avait de l'argent.

Aussitôt, elle se radoucit.

— Entre donc, dit-elle. Tu dois avoir soif avec cette chaleur. Je viens juste de tirer un seau du puits. Tu y ajouteras une goutte de vin.

Et puis elle dévoila son jeu :

— Pour pas cher. Mais puisque tu as de l'argent...

Lui, nigaudin, se mit à faire le faraud. Il ne lui déplaisait pas de montrer sa prétendue opulence à la vieille qui, tant de fois, avait menacé de le jeter à la rue quand il ne possédait pas un sou.

— Tu sais ce que c'est, mon métier, Catoche ?

— Pour sûr que non !

— Je suis moucheur de chandelles.

Elle n'avait jamais eu que des bouts de chandelle glanés ici et là, dérobés le plus souvent dans les auberges ou les boutiques, qu'elle laissait fumer sans le moindre souci.

— C'est un métier, ça ?

Il ne crut pas nécessaire de le confirmer, jouant son personnage comme il l'avait vu faire au théâtre et avec moins de mots que lorsqu'il donnait la réplique à Beppino sur le Pont-Neuf. L'étonnement grandissant de Catoche le réjouissait. En même temps, il se procurait l'illusion d'être un comédien. Il crut voir une surprise admirative dans les yeux de son ancienne logeuse quand il entra dans la maison. Une odeur de poussière, de rance et de moisi y régnait. Lorsqu'il vivait là, il ne la remarquait pas. Maintenant, elle l'emplissait d'un dégoût qu'il se reprochait comme une ingratitude.

— Assieds-toi.

Catoche apporta un pichet dans lequel achevait de s'aigrir une mauvaise piquette et une cruche au flanc embué par la fraîcheur de l'eau qu'elle contenait. Gabriel refusa le vin. Elle ne sembla pas s'en offenser.

— Alors, comme ça, tu fréquentes le bourgeois.

La porte s'ouvrit et Matoufle s'avança, suivi d'un individu maigre et long comme un jour sans pain, un vrai échalas qui gratifia l'hôtesse d'un sourire à une seule dent.

— Salut, la compagnie ! claironna Matoufle en posant son crochet sur la table.

Il avait l'air particulièrement guilleret. Sa jambe ne le faisait plus souffrir, son humeur n'était pas bougonne et il avait dans la voix un allant inhabituel. Cela devait cacher quelque chose.

L'autre ne dit rien. D'un coup d'œil furtif, il avait déjà évalué le contenu de la salle. Son visage redevint froid, tout sourire repris ainsi qu'on le ferait d'une dépense brusquement jugée inutile et aussitôt rejetée.

Matoufle reconnut Gabriel, mais ne lui témoigna d'abord qu'un intérêt limité. Il retrouva vite son attitude de martyr en proie à une douleur au genou aussi nouvelle que subite.

— Une crampe. La mauvaise m'empêche de marcher. Je l'avais pas, ce matin, et voilà que maintenant... Alors, petit, on s'est fait pousser des ailes ?

Catoche se tourna vers l'autre individu pour le mettre à l'épreuve, savoir quelles étaient ses intentions en suivant le chiffonnier jusque chez elle. S'ils s'étaient déjà rencontrés, elle le cachait bien.

— Et comment ! dit-elle. Il est en service chez le bourgeois.

Le regard qu'elle clouait dans les yeux de l'homme en disait long sur ses pensées. L'échalas parut s'animer en entendant prononcer le mot de « bourgeois ». Assis au bout du banc, il déplia ses jambes sous la table, disposé à attendre le temps nécessaire pour saisir en entier le message de la femme. Un gobelet de vin saurait le faire patienter.

— Tu es là pour quoi ? demanda Catoche en revenant à Gabriel.

— Pour voir Amapola.

— Qu'est-ce que tu lui veux ?

— Je te l'ai dit. J'ai déchiré mon costume de scène et il ne faut pas que mon maître s'en aperçoive. Il est gentil, mon maître, mais, question travail, il plaisante pas. Je cherche Amapola pour qu'elle répare ma culotte.

— Elle est pas souvent ici. Juste le soir.

Un nouveau regard à l'échalas et la vieille parut se raviser.

— À propos d'habit, t'es parti si vite qu't'as oublié une culotte, justement, là-haut. Va la chercher. J'aime pas les choses qui m'embarrassent. Ça fait du désordre.

Quand Gabriel se leva, l'inconnu se redressa un peu. Un tout petit peu. Comme s'il se préparait à se lever, lui aussi. Mais il décroisa et recroisa ses longues jambes et n'en fit rien. En sortant de la pièce, le garçon crut sentir entre les épaules le poids des regards qui le suivaient.

Soudain, il eut peur.

À l'étage, il s'immobilisa pour essayer de surprendre ce qui se disait dans la salle du bas. Il eut beau prêter l'oreille, il n'entendit rien. L'impression pourtant qu'un piège se tissait autour de lui le tourmentait. Il avait trop fréquenté le milieu des rues pour ne pas percevoir l'imminence d'un danger. Pourquoi avait-il parlé de son travail chez les gens aisés ? Autrefois, il savait mieux se taire quand la prudence était la nécessité première de chaque jour. Catoche le croyait riche et il était devenu une proie bien facile.

Au moment de reprendre sa montée vers le réduit où il avait logé, il crut déceler un pas dans l'escalier. Un pas léger, précautionneux, sans hâte, mais résolu. Il grimpa deux à deux les marches délabrées. Avant de franchir la porte du grenier, il tendit de nouveau l'oreille.

Rien. Pas un bruit.

L'imagination lui jouait des tours. Il reprit son souffle, essaya de se dominer. Pour plus de précautions, il referma la porte, plongeant ainsi les combles dans une obscurité que trouaient par endroits des rais de jour à travers les brèches du toit.

La culotte était posée sur une caisse renversée, à côté d'une pomme qui pourrissait lentement, mêlant son odeur de fermentation à celle de la poussière pour composer avec elle un parfum de misère. Une culotte si élimée que Matoufle n'avait pas jugé bon de la vendre et que Catoche aussi l'avait dédaignée.

C'était à l'argent de Gabriel qu'on en voulait. L'argent à l'existence duquel il avait fait croire et qu'il n'avait jamais eu.

Il s'agenouilla sur le grabat pour retrouver ses esprits et chercher le moyen de fausser compagnie le plus vite, le plus sûrement possible.

Malgré lui, il revivait les jours passés là. Maintenant qu'il avait un autre entourage, il se sentait étranger à cette laideur et surtout aux ruses qui permettaient de survivre au royaume des escrocs et des filouteries. Sa place n'était plus là.

Quand il entendit la porte grincer doucement, il n'eut pas le temps de se retourner. La pointe d'un couteau le piqua entre les omoplates.

Le grand échalas avait saisi ce que la logeuse lui avait transmis à demi-mot et par des regards obéissant à des codes.

— Donne !

— Je n'ai rien.

— Ne m'oblige pas à me fâcher.

Gabriel savait qu'il n'aurait servi à rien de résister. La pointe du couteau était maintenant sur son ventre. Il dénoua le lacet qui retenait sa culotte. Une pièce tomba, roula sur le plancher.

Une pièce de dix sols.

— Tout ce que j'ai, affirma Gabriel avec l'assurance de Picotin du Pont-Neuf.

L'homme poussa la pièce du bout du pied en direction du garçon qu'il ne menaçait plus de sa lame.

— Tu peux la reprendre. Mais, si tu as menti, tu le paieras cher.

— Je n'ai pas menti.

— Alors continue de parler franc. Ton maître, il crèche où ?

— Entre la rue Saint-Thomas-du-Louvre et la rue Frémenteau[1].

— C'est vague, ça.

— Le corps de garde du Palais-Royal.

— Tu vois, tu y arrives !

— Il va déménager.

— Tiens donc !

— Je dis vrai. Il va déménager.

— Tu le suivras. Ce sera plus facile que le corps de garde.

Gabriel se rendait compte qu'il s'enfonçait dans une situation sans issue. L'autre le faisait s'enferrer, en fourbe patenté qu'il était. Il ne posait plus de questions, se contentant d'une remarque après chaque tentative du gamin pour se tirer d'affaire. Sa voix était calme, coupante comme un gel de décembre.

---

1. Ces deux rues ont aujourd'hui disparu. Elles se situaient à la hauteur de l'actuelle pyramide du Louvre.

« Surtout, se répétait Gabriel, ne pas donner le nom de Molière. »

Il se reprochait de l'avoir sottement prononcé devant Catoche par désir de l'épater. Elle avait semblé ne pas le connaître. Peut-être l'avait-elle déjà oublié. Il se raccrochait à cette idée. Mais Catoche n'oubliait jamais rien quand son intérêt était en jeu.

Le mauvais diable attendait le moment propice pour dévoiler son plan. Soudain il saisit Gabriel à la gorge, le plaqua contre le mur où il l'immobilisa.

— Un verrou tiré, ça se repousse, un soir, quand tout le monde dort.

Gabriel se dit qu'il était perdu. Jamais il ne pourrait se sortir d'une complication pareille. L'autre avait derrière lui une longue expérience de brigandage, une volonté de fer et aucune sensibilité. Il ne servirait à rien de chercher à l'émouvoir.

Fallait-il pour autant ne rien tenter ?

À quatre pas d'eux, la porte du grenier était restée ouverte. Trouver le moyen de faire ces quatre pas. Échapper aux doigts crispés sur le cou et qui déjà y imprimaient leur marque.

Glisser, pareil à une anguille, entre les mains de cette fripouille. Risquer le tout pour le tout.

— Son nom ?

Gagner du temps à défaut de sa confiance.

— De qui ?

— Ton bourgeois de la rue Frémenteau.

— Lâche-moi et je te le dirai.

— Fais attention à toi !

— Promis. Comment on t'appelle ?

— Ça t'intéresse ?

— Si tu veux qu'on se retrouve, vaut mieux que je le sache.

La brute desserra un peu son étreinte, mais ne lâcha pas sa victime.

— Disons qu'aujourd'hui je m'appelle Croque-Maille.

— Si je te demande avec ce nom, on saura que c'est toi ?

— C'est suivant à qui tu le demanderas.

— Bon ! Lâche-moi.

Il se produisit alors ce à quoi Gabriel n'osait plus croire. Les doigts se détachèrent de sa gorge. À peine l'eut-il senti qu'il fit un écart, se plia, passa sous les bras du voleur qui n'eurent pas le temps de s'abaisser, et il se rua vers la porte. Le trou noir de l'escalier s'ouvrit au-dessous de lui. Il s'y jeta en aveugle, sautant plusieurs marches à la fois, roulant et boulant jusqu'au premier étage. Il entendit derrière lui des jurons, des bruits de pas précipités. Il s'était déjà relevé et dévalait les marches pour arriver au rez-de-chaussée où il tomba sur Catoche attirée par le mouvement. Tous deux s'étalèrent. L'homme, à son tour, vint heurter sa complice et c'est ce qui sauva le fuyard.

La porte d'entrée découpait un rectangle de soleil et de liberté. Gabriel la franchit au moment où son poursuivant allait le rattraper. D'instinct, il traversa la fondrière de la berge et se jeta à l'eau.

Croque-Maille le regarda s'éloigner. Il était furieux et, plus encore, vexé.

Il ne savait pas nager.

9
Un choix difficile

CHAQUE BATTEMENT de pieds l'éloignait un peu plus de la rive. Gabriel s'efforçait de ne pas faire de mouvements trop rapides qui l'auraient essoufflé. Il ne savait pas très bien nager, mais il avait préféré un bain forcé à une course aux chances inégales. Les longues jambes de Croque-Maille l'auraient vite rattrapé.

Au milieu du fleuve, il s'arrêta pour voir s'il n'était pas poursuivi. Son instinct ne l'avait pas trompé. Le grand échalas se tenait derrière une rangée de joncs qu'il n'avait pu se résoudre à franchir.

Gabriel prit un regain d'assurance. Toute peur à présent contenue, il se laissa porter par le courant pour reprendre des forces. Ses jambes trouvèrent le bon rythme, ses bras aussi. Il lui arrivait bien encore d'avaler une gorgée d'eau, mais il se maintenait à la surface. Il allait se reposer un peu, puis il entreprendrait de gagner l'autre rive.

Une barque s'approcha et ses craintes revinrent.

— Holà ! cria une voix. On veut se noyer ?

La voix était joviale. Un homme tendit la main. Gabriel la saisit avec une hâte qui trahissait son manque de contrôle de la situation, et fut hissé à bord où il s'affala sur des paniers garnis d'herbe mouillée, parmi quelques poissons à leurs derniers bâillements.

— Hé ! Ne va pas me les abîmer !

L'homme montrait une inaltérable bonne humeur. Il donna sa gourde au rescapé de la noyade.

— Bois un coup ! Ça te requinquera !

D'ordinaire, Gabriel ne buvait pas de vin, et celui-ci n'était guère meilleur apparemment que celui de Catoche, mais il était offert sans arrière-pensée. Du moins le garçon voulut-il le croire. Il en but quelques gouttes. Après les moments où il avait tremblé de peur, une gaieté purement physique l'anima.

— Ainsi donc, on faisait trempette !

— Je vais de l'autre côté.

— Y a des ponts pour ça !

Un peu de méfiance le rendit prudent. Il n'avait pas envie de raconter ses ennuis à un inconnu.

— Vous pêchez ?

— Comme tu vois.

— Vous voudriez pas me déposer de l'autre côté ?

— Pas maintenant.

Gabriel eut peur de nouveau. Sur qui était-il tombé, une fois de plus ? Son sauveteur semblait l'oublier, toute son attention portée au filet qu'il remontait. Un geste dont dépendait la journée de cet humble. Le repas de ses enfants était à la merci du poisson que les mailles capturaient dans les fonds glauques, ou de quelques sols bien sonnants quand la pêche avait été vraiment bonne. Pour si affamée qu'elle fût, la marmaille devait se contenter alors de menu fretin. Les aubergistes se montraient très regardants sur la qualité de la marchandise qu'on leur proposait.

— Vrai ! Est-ce que par hasard tu m'aurais porté chance ?

Un brochet se débattait à grands coups de queue, toutes dents dehors. Le dévoreur de goujons et de tanches était pris.

— Bandit ! C'est toi qui avales mes poissons ! Pas étonnant que je rentre souvent bredouille avec un pareil compère dans les parages. Fini, mon lascar !

Les poissons de la Seine étaient ses poissons. De même, la Seine était son fleuve puisqu'il en retirait la subsistance de sa famille. Une relation étroite était née entre eux, dans le secret des brumes matinales et les remous de l'eau.

Cette capture inespérée le rendait joyeux.

— Maintenant je vais te déposer sur l'autre bord. Et vite fait ! Faut pas que ce monsieur perde ses couleurs.

L'instant d'après, ils accostaient sur la rive gauche. L'homme attacha la barque à un ponton vermoulu envahi par les herbes. Sans plus s'occuper de son passager, il jeta le brochet dans un panier avant de courir vers le village dont on apercevait les toits de chaume derrière un alignement de peupliers.

Habitué à la rive droite, Gabriel se trouvait en pays inconnu. L'aspect champêtre de la rive gauche aurait dû le rassurer. Des paysans moissonnaient. Des femmes liaient les gerbes. D'autres glanaient, les reins pliés, le front humide de sueur sous le mouchoir noué. Des bœufs ruminaient à l'ombre des saules. La cloche d'un couvent, au loin, tintait. Une alouette, haut dans le ciel, ivre de chaleur et d'une joie de vivre qu'elle ne savait pas de si courte durée, chantait son allégresse.

Et Gabriel, tout à son angoisse brusquement revenue, errait par les chemins. Il ne minimisait pas la situation dans laquelle il s'était mis. Le plan de Croque-Maille devait être pris au sérieux. Flairant la bonne aubaine, le vaurien n'abandonnerait pas la partie de sitôt.

Soudain, Gabriel trouva Paris trop petit. Il y serait pourchassé. Un mot émis d'un ton sans réplique, un geste qui dirait plus que cent mots, un silence ou un clin d'œil, et un ordre partirait. Des ombres traîneraient sur les places et les quais, des observateurs postés aux carrefours siffleraient. Un coup bref, puis un signe de tête. Des mendiants ne feraient pas que mendier, des enfants fluets parce que mal nourris et épuisés par trop de courses dangereuses se glisseraient dans l'étroite ouverture de portes cochères ou entre les planches de palissades derrière lesquelles grouillait le peuple de la nuit.

Gabriel savait tout cela, même s'il n'avait que côtoyé le monde de la crapulerie lorsqu'il gagnait son existence en allant au-devant des hasards de la rue. S'être échappé des griffes de Croque-Maille n'était que partie remise. Des yeux le suivaient, des oreilles écouteraient, et les informations courraient sur le pavé gluant, de ruelles en recoins, de terrains vagues en ruines habitées.

Où qu'il fût, on le retrouverait.

La pensée qu'à cause de lui la maison de son maître pût être pillée le plongeait dans un véritable tourment. Son imagination, amplifiant les choses, lui faisait voir, avec une précision angoissante, les périls auxquels il s'était exposé et avait exposé son bienfaiteur.

Il marchait le long d'un sentier, plongé dans ses réflexions et surtout dans ses craintes. Pour la première fois de sa vie, il se trouvait à la campagne. Jusque-là, il n'avait connu que la ville aux relents forts, bruyante et toujours prometteuse d'aventures dont un garçon quelque peu dégourdi pouvait tirer parti pour attendre le lendemain sans prévoir plus avant.

Ici, tout était calme et lumière d'août. Le ciel immense, d'un bleu cru, s'alourdissait de gros nuages blancs. Les maisons, blotties au ras du sol, semblaient à l'affût dans la verdure. Une odeur de moissons chaudes flottait, arrachée aux blés mûrs par la canicule.

C'était donc cela, la campagne ! Le silence impressionnait Gabriel. Chaque bruit qui survenait acquérait une présence d'autant plus marquée qu'elle était isolée. Un froissement de l'herbe, et Gabriel sursautait. Le cri d'un berger rappelant ses moutons, et il s'arrêtait, l'oreille tendue, comme si c'eût été lui qu'on hélait.

Aurait-il été heureux dans les champs ? Peut-être. La peur de retomber entre les mains de Croque-Maille le poussait à envisager toutes les situations pour lui échapper. Et cependant il s'en retournait vers Paris. Là, il avait quelques amitiés solides sur lesquelles il pouvait compter.

Beppino l'aiderait. Il saurait inventer une solution. Gabriel lui expliquerait les choses depuis le début. Sans rien oublier. Cette idée le réconforta. Comment n'avait-il pas pensé plus tôt à Beppino ?

Il suivit le bord de la Seine, convaincu maintenant de ce qu'il devait faire. Le Pont-Neuf était pour lui désormais un endroit dangereux, mais il y avait Beppino.

Mieux vaudrait toutefois ne pas s'y attarder.

Les tours de Notre-Dame apparurent au loin, dans une trouée de feuillage. Gabriel s'arrêta pour les contempler. Elles montaient la garde au centre du fleuve, fortes de leur éternité de pierre, rassurantes. Il le voulait ainsi. Il en avait besoin. Une nécessité absolue.

Au cours de sa marche vers la cathédrale, il remarqua que les terres ménageaient un habitat plus serré. Paris avait sauté la Seine même en ces parages écartés.

Il arriva sur des quais où de nombreux bateaux venaient accoster. La vie qui avait été la sienne jusque-là mêlait ses mouvements, ses cris, le grouillement de mille activités. Ici, pourtant, elle avait un caractère distinct de celui qu'elle présentait sur l'autre rive. Des charrettes grinçaient, chargées de tonneaux, de montagnes de paille ou de foin, de rondins et de troncs d'arbres à peine équarris. Un grand affairement sur un espace large où des gargotes décrépites, des cabarets borgnes en retrait entrouvraient leur porte sans rien montrer de ce qui se passait à l'intérieur.

Est-ce que le territoire de Croque-Maille s'étendait à cet endroit ?

Puis, enfin, ce fut le Pont-Neuf. Beppino y était, mais Gabriel hésita avant d'aller à sa rencontre. Ce n'était plus le bonimenteur surpris en plein débordement d'éloquence. Nul accessoire autour de lui. Assis dans une demi-lune du pont, il ignorait la foule, accaparé par des pensées.

— Hé ! Beppino ! On ne voit plus ses amis ?

Il leva la tête. Aussitôt, son visage s'illumina.

— Picotino ! *Mamma mia* ! Qu'est-ce que tu fais ici ?

Bon, il ne broyait pas du noir.

— Et toi ?

— Je réfléchissais.

La réponse était si inattendue que Gabriel retrouva sa joie en même temps que sa naturelle insouciance.

— Ça, c'est nouveau ! D'habitude, tu parles plus que tu ne réfléchis !

— C'est que j'ai des projets.

Il n'en dit pas davantage, prolongeant son silence au milieu du bruit. Un silence qui n'en

paraissait que plus surprenant. Gabriel ne cher-
cha pas à le rompre. Il savait que le silence et
Beppino n'allaient jamais longtemps ensemble.
Il suffisait de s'asseoir et d'attendre.

— Tu vois, petit, j'ai quelque chose qui
tourne dans ma tête.

— T'es sûr que c'est pas plutôt ta tête qui
tourne ?

— Ah ! le *ragazzino*, il me croit pas !

— Si ! Si ! Je te crois !

Le vieux baladin se pencha pour dire, en
confidence :

— Je vais partir.

— À Venise ?

— Tu me laisses pas parler ! Comment tu
veux que je t'explique ? Non, pas à Venezia !
Partout !

— Partout ?

— En Bretagne, en Languedoc, en Artois,
en Picardie...

— C'est où, tout ça ?

— Et c'est moi, un Veneziano, qui t'appren-
drai que c'est en France !

Le silence était définitivement rompu. Pris
par son rêve, Beppino parlait, parlait...

— Je vais monter une troupe de théâtre. Une

vraie. Avec des acteurs, des costumes, un chariot, un cheval...

— Tu as l'argent ?

— *Que*, l'argent ? L'argent, on le gagnera !

D'un geste, il avait balayé le problème, poursuivant son projet en pensée sur les routes du
royaume.

— L'automne, c'est la bonne saison. Il y a
des raisins dans les vignes au début, des
pommes dans les vergers ensuite. Les paysans
ont rempli leurs granges. On peut rire un brin
avant la soupe du soir, surtout que l'entrée n'est
pas chère. Si on veut, on paie avec trois œufs,
un saucisson, une miche de pain. L'argent
viendra après.

— Mais le cheval, le chariot ?

— Je les ai ! Nous avons mis nos économies
en commun et j'ai vendu mon âne.

La réponse surprit Gabriel. Beppino n'était
donc pas seul dans l'entreprise.

— Tu pars avec qui ?

— Luciano.

— C'est qui ?

— Le marchand d'orviétan. Tu l'as déjà
oublié ? L'orviétan, c'est plus ce que c'était. La
clientèle boude. Il est grand, large d'épaules

bien que maigre. Il a la voix forte. Il jouera Matamore. J'abandonnerai ce personnage. Je l'ai tenu trop longtemps.

— Et puis ?

— Amapola. *Bellissima* !

— Tu sais où est Amapola ?

La réponse ne vint pas. Beppino constituait sa troupe une nouvelle fois, distribuait les rôles.

— Je serai le vieux ridicule. Il faudra que je me grime. Je ne suis pas si vieux que ça, pas vrai ?

— Où elle est, Amapola ?

— Il nous manque un bel amoureux.

— Amapola, où elle est ?

Brusquement, Beppino revint sur terre. Il saisit Gabriel aux épaules, le fixa droit dans les yeux.

— Pourquoi ce serait pas toi, l'amoureux ? Tu es un peu jeune encore, mais ça te passera. En attendant, on te dessinera une belle moustache avec du liège brûlé. T'as pas envie d'être l'amoureux d'Amapola ?

Il lâcha le garçon, prit un air résigné tellement appuyé qu'il y mettait une forte dose de rouerie pour mieux convaincre.

— C'est vrai que tu es moucheur de chandelles dans le beau théâtre du sieur Molière. Ça doit être rudement bien de moucher des chandelles en écoutant La Grange quand il joue les jeunes seigneurs... Moucher les chandelles, c'est pas aussi facile qu'on croit ! D'abord, il y a chandelle et chandelle... Celle qui fume noir et l'autre qui brûle mal. Et puis celle qu'on n'arrive pas à rallumer. Et puis celle qui menace de tout cramer et celle qui tombe du lustre et... Bah ! C'est pas le souci de La Grange. Il veut seulement beaucoup de lumière pour faire le galant quand Élise ou Isabelle entre en scène.

Gabriel se taisait. Voilà que maintenant deux soucis compliquaient sa vie. Pas deux, trois plutôt. Donner la culotte à réparer avant la prochaine représentation. Échapper aux poursuites de Croque-Maille. Résister à la proposition de Beppino qui apportait une solution.

S'il quittait Paris assez tôt, il ne subirait pas la vengeance du voleur et la maison de Molière ne serait pas pillée.

Mais Molière, que dirait-il ?

D'un coup de cœur, il repoussa la tentation d'une vie nouvelle, les attraits d'un rôle à jouer, la déception des chandelles à moucher. Il ne voulut voir que ces premiers pas au théâtre qu'il avait faits devant le roi, ne garder que l'espoir d'un avenir plein de promesses auxquelles il s'efforçait de croire. Et tant pis si les paroles de Beppino avaient ébranlé sa conviction.

— Vous partez quand ? demanda-t-il pour trouver une échappatoire.

— Le mois prochain.

— On verra ! Avant, dis-moi où est Amapola. Elle va moins souvent chez la mère Catoche.

— Elle est chez moi.

Puis, d'un air entendu, pour savourer ce qu'il disait, il annonça :

— Elle coud les costumes.

— Justement, c'est de couture que j'ai besoin.

À son tour, Gabriel voulut épater le saltimbanque qui se voyait déjà en directeur de troupe.

— Un accroc à mon costume de scène.

Soudain, il se rendit compte qu'il n'avait jamais cherché à savoir d'où venait Beppino quand il apparaissait sur le Pont-Neuf ni où il allait le soir, après avoir bu rituellement dans une taverne le pot de bière gagné par mille palabres et autant de gesticulations.

— C'est où, chez toi, Beppino ?

— À Auteuil. Une maison basse au bout de la sente des Tas-de-Cailloux[1]. Tu peux pas te tromper.

— Et on y va comment ?

— En suivant la Seine.

Gabriel avait retrouvé tout son entrain.

— Beppino ! Tu es mon sauveur !

1. Aujourd'hui, rue Chardon-Lagache, dans le XVIe arrondissement de Paris.

10
L'étonnante nouvelle

ARQUISE DU PARC héla des porteurs de chaise, du geste majestueux dont elle accompagnait les vers de Racine quand, désertant un moment la troupe de Molière, elle avait cédé à l'attrait de l'Hôtel de Bourgogne. Le flot des passants noya le geste, et Marquise s'impatienta.

Ce qu'elle venait d'apprendre la remuait d'une émotion qu'elle mourait d'envie de partager sans délai. Elle imaginait le coup de théâtre qu'elle allait produire, l'effet qu'elle en retirerait. À la ville comme à la scène, une comédienne ne néglige jamais l'occasion de provoquer un coup de théâtre. Surtout si elle est une reine de tragédie.

Les porteurs de chaise ne sentaient pas cela et brillaient par leur absence. Toujours à boire dans les cabarets, à paresser sous les porches. Marquise laissait monter sa colère. Elle avait, ce jour-là, une robe de satin gris perle qui lui allait à ravir. Faudrait-il balayer le pavé avec le fond d'une robe de satin gris perle ? C'était à ne pas s'y résoudre.

La rue qu'elle avait empruntée grouillait d'animation, d'aboiements de chiens en maraude, d'exclamations de commères qui se disaient les nouvelles du jour, penchées à leur fenêtre. D'autres, un panier à chaque bras, se frayaient un passage entre carrosses et charrettes, heurtant tout ce qui faisait obstacle à leur marche précipitée. Des cochers fouettaient, des débardeurs débardaient, des errants erraient. Les échoppes encombraient les deux côtés de la rue, étalant leurs marchandises, leurs couleurs, leurs odeurs.

Marquise, bousculée, harcelée, importunée, pestait de s'être exposée à de tels risques quand, par une ironie du sort, on ne trouvait ni voiture de louage qui fût libre ni chaise capable de vous tirer d'un pareil embarras.

Deux porteurs parurent enfin au débouché d'une venelle. Leur façon de marcher aurait dû prévenir Marquise que sa dignité allait avoir à en souffrir. Pourtant, elle les appela, d'un ton impérieux cette fois. Ils s'approchèrent, hilares et quelque peu titubants.

— Êtes-vous ivres ?

Répondre leur sembla superflu. Ils lâchèrent les brancards tous deux en même temps et la chaise vint percuter le sol tandis qu'ils crachaient dans leurs mains pour montrer leur bonne volonté.

— Hâtez-vous, vauriens ! dit la Du Parc en prenant place.

Tout de suite, elle eut à regretter de s'être lancée dans de pareilles péripéties. Trébuchant, tanguant, les hommes partirent droit devant eux sans tenir aucun compte du chemin qui menait au Palais-Royal. Ils s'enfoncèrent dans un dédale de rues, se cognèrent à des passants qui les injurièrent en des termes vigoureux qu'une dame n'aurait pas dû entendre. Mais la dame, secouée, ballottée, ses jupes serrées contre elle parce que la portière de la chaise s'était ouverte, un mouchoir pressé sur le nez pour échapper aux fétidités du pavé, se répandait en ordres qu'ils n'écoutaient pas. Les drôles allaient leur train.

— Où me menez-vous donc ? Tournez à droite ! À droite, je vous dis !

Savaient-ils encore où était leur droite ? Un carrefour très encombré leur offrait-il plusieurs possibilités ? Ils choisissaient l'endroit où l'on pouvait circuler le plus facilement. Et tant pis si la dame criait.

Elle ne s'en privait pas. Lorsqu'elle fut convaincue que jamais elle n'arriverait au Palais-Royal, elle prit le parti de sortir de sa boîte cahotante, au risque de se rompre la jambe. Ils s'arrêtèrent, pas fâchés de trouver l'occasion de se reposer un peu, et la regardèrent d'un air aussi innocent qu'étonné.

— C'était ici que vous vouliez aller ?

Une pièce, toute petite, sortie de l'aumônière et rageusement lancée à la tête d'un de ces méchants coquins, mit un terme à la mésaventure. Marquise s'en alla, son bel ourlet de satin gris taché d'eau sale et traînant après lui les immondices de la rue.

À peine eut-elle franchi la porte qu'elle monta à l'étage de Molière. Elle savait où elle trouverait celui-ci. Après *L'École des maris*, il se préparait à écrire *L'École des femmes* pour les vrais débuts au théâtre d'Armande, qu'il voulait épouser. Armande à la bouche trop grande et aux yeux trop petits. C'étaient les propres mots d'un futur mari lucide, prononcés un jour de confidences qu'on regrette aussitôt, ce qui n'empêche pas, quand on est un auteur dramatique, de garder ces mots en réserve pour en faire une bonne réplique ou une indication sur le personnage.

Lorsqu'il la vit entrer, oppressée d'une émotion savamment mise en scène, il posa sa plume sur l'encrier et se tourna vers elle. Un sourire releva le coin de sa fine moustache.

Marquise était à l'évidence le fleuron de sa troupe.

— Jean-Baptiste !...

Elle ménagea un temps. Il patienta. Ce n'était pas à lui qu'on allait enseigner un effet théâtral.

— Je le sais, je te dérange ! poursuivit-elle.

Il accentua son sourire, balaya d'un revers de manche des paroles qui n'étaient pas vraiment des excuses. La feuille que quelques vers noircissaient tomba à terre.

— Jean-Baptiste, Fouquet a été arrêté.

Elle avait bien placé sa réplique. Elle désirait avoir maintenant un public plus vaste.

— Appelle Madeleine, La Grange, Du Croisy, tous les autres !

Molière ne souriait plus. Mille pensées couraient dans son esprit occupé, l'instant d'avant, des tourments d'un Arnolphe dans lequel il se projetait. Il ouvrit la porte et tonitrua :

— Gabriel !

Le garçon s'apprêtait à sortir quand il entendit cet appel qui lui était devenu familier et qui, pourtant, avait quelque chose de changé. Il s'empressa de gravir l'escalier, toujours dévoué, toujours aussi dans l'attente du moment où le maître lui apprendrait qu'il lui donnait un rôle.

— Vous avez besoin de moi, monsieur ?

— Va frapper à toutes les portes. Demande à chacun de venir tout de suite.

Ils furent là en un rien de temps. Marquise eut son public. Molière ne pensait plus aux premières ébauches de sa pièce. Il les reprendrait plus tard. Il voulut être celui qui annoncerait la nouvelle, mais, n'en sachant pas le moindre détail, il se contenta de dire :

— Le roi a fait arrêter le surintendant.

Marquise, alors, put raconter. Sa Majesté s'était rendue à Nantes, où Fouquet séjournait dans l'hôtel qui appartenait à la famille de Mme du Plessis-Bellière. Une escorte réduite l'accompagnait pour ne pas éveiller les soupçons. Quelques gentilshommes seulement. Le surintendant était retenu à la chambre par une forte fièvre. Le roi patienta, puis il le convoqua et le fit arrêter par d'Artagnan sur la place de la cathédrale.

— Qu'a-t-il dit quand on l'a arrêté ? demanda Catherine De Brie, émue à l'évocation du fastueux organisateur de la nuit de Vaux.

— Il a dit : « Le roi est mon maître. »

— Cela a de l'allure, remarqua Jodelet de sa voix nasillarde qui lui assurait encore à son âge du succès.

Jean-Baptiste ne prenait pas part à la conversation. Il était soucieux, se remémorant l'aide dont le mécène l'avait gratifié. Il ne se préoccupait pas des répercussions qu'elle pourrait avoir sur la volonté royale, il revoyait l'amateur de belles choses, et, face aux froids calculs de Colbert, au désir de pouvoir absolu du jeune monarque, il ne pouvait se défendre d'un profond mouvement de sympathie pour l'infortuné.

— Nous perdons un ami, murmura-t-il.

— Et savez-vous ce qu'a proclamé le roi quand on eut enfermé le malheureux dans un carrosse aux ouvertures barrées de fer ? reprit Marquise afin de ramener à elle l'attention.

— Non !

— Qu'a-t-il dit ?

— Il a dit : « Il n'y aura plus de surinten-dant des Finances. »

*
**

Armande n'aimait pas Gabriel et le lui faisait sentir de toutes les façons. Alors que le projet de mariage avec Molière se précisait, elle ne voyait pas sans ombrage l'affection que son futur époux portait à ce protégé. Elle résolut de perdre celui-ci.

— Jean-Baptiste, attaqua-t-elle un soir après la représentation, le public n'était pas content.

Molière enlevait son pourpoint brun. L'arri-vée d'Armande lui annonçait un de ces accès de chicanerie qui n'étaient que trop fréquents à son goût dans la troupe.

— Vraiment ? répondit-il avec beaucoup de calme. Il m'a semblé pourtant...

— Ce n'est pas du jeu des acteurs que je parle.

— Me voilà rassuré !

Pourquoi prenait-il tout à la légère ? Il était exaspérant.

— Mais alors de quoi me parles-tu ? ajouta-t-il en dénouant le collet.

— De ce petit bon à rien venu on ne sait d'où et qui n'a jamais appris à moucher des chandelles.

Il la dévisageait pendant que, boudeuse, impatiente, elle manigançait quelque tour pendable pour nuire à celui qu'elle n'aimait pas. Robe d'un vert amande, petit chignon doré tout près de se défaire, rubans désarmants, elle était l'ingénue type avec la fraîcheur naturelle dont Catherine De Brie s'efforçait de conserver l'apparence à grand renfort de poudre et de carmin. Il en fut attendri, mais essaya cependant de ne pas jouer à la ville les barbons[1] dupés.

---

1. Au théâtre, rôle d'homme âgé et souvent ridicule.

— Moi, je sais d'où il vient. Il vient du Pont-Neuf, où j'allais, comme lui, lorsque j'avais son âge.

Elle ouvrit des yeux ronds qui parurent ainsi presque grands.

— C'est bien ce que je dis.

— Non, ce n'est pas ce que tu dis.

— Un baladin !

— Nous sommes tous des baladins. Aurais-tu oublié les jours où nous avons vagabondé à travers les provinces ? Tu étais très jeune, il est vrai, mais tu ne peux pas ne pas t'en souvenir. Et puis, assez de discussion ! Qu'a-t-il fait, au juste ?

— Il a indisposé la salle. Il a pris un temps fou pour moucher trois chandelles. Maladroit comme ce n'est pas possible ! Tu n'as pas entendu les réactions du public. Moi, j'y ai été attentive. Le parterre a ri, d'abord, et puis il a perdu patience. Ce fut un beau tintamarre !

— Que je n'ai pas entendu, en effet.

Visiblement, il n'accordait aucune importance à ce qu'elle disait.

— Et puis, lança-t-elle à bout d'arguments, il te suit comme un petit chien. Toujours à tes trousses. On ne peut jamais te parler sans qu'il soit là.

— Pourtant, que fais-tu en ce moment ?

Face à cette impassibilité inattaquable, elle explosa, livrant le fond de sa pensée.

— Tu as plus d'attachement pour lui que pour moi !

Le futur vieux mari hocha la tête, grave soudain parce qu'il entrevoyait ce que serait son mariage avec cette impétueuse qui avait la moitié de son âge.

— Nous y voilà ! Tu es jalouse.

À peine prononcé, le mot lui déplut. Il dramatisait ce qui n'était au fond qu'un caprice.

Mais en était-il si convaincu ? Il chercha comment se justifier.

— Je ne sais pas s'il aura un jour les qualités indispensables au théâtre. Il est trop jeune encore. J'aimerais lui apprendre à jouer. Qu'il se forme surtout en regardant, en écoutant, en respirant l'air de la scène et la poussière des coulisses. La meilleure façon d'apprendre, à mes yeux. N'est-ce pas ainsi que j'ai fait avec toi ? Tu débuteras dans la pièce que j'ai commencée. Elle s'appellera *L'École des femmes*. Pourquoi ne le ferais-je pas aussi pour lui ?

Il voulut clore l'entretien par un retourne-
ment de situation qui lui donnerait l'avantage.

— Tu as raison. Je vais d'abord lui montrer
comment on mouche une chandelle.

Gabriel repensait à la proposition de Beppino. Il la rejetait mais elle revenait sans cesse.
Courir les routes et, tous les soirs, même pour
quelques sous, juste de quoi ne pas mourir de
faim, retrouver un public, même de paysans
éreintés par les travaux des champs, et se livrer
à des improvisations qui soulèveraient les
rires... La tentation de partir ne le lâchait pas.
Seule le retenait l'idée de moins en moins cer-
taine que son avenir se ferait auprès de Molière.

« Mieux vaut un bout de rôle à Paris qu'un
grand au fin fond de la Picardie », se répétait-il.

Il n'en était pas aussi sûr qu'il l'affirmait. On
avait repris *L'École des maris* et il mouchait toujours les chandelles.

Et puis il revoyait l'heure passée dans la
petite maison d'Auteuil en compagnie d'Amapola. Tout en tirant l'aiguille, elle l'avait inter-
rogé sur ce Théâtre du Palais-Royal où elle

n'était jamais entrée. Il en avait fait une description tellement enthousiaste, sans quitter des yeux l'accroc de la culotte, qu'Amapola avait dit avec un sourire plein de soleil :

— Tu dois être bien heureux !

C'était à ce moment-là qu'il avait été heureux. Près de la jeune fille, une corbeille débordait de costumes inachevés. Étoffes qui ne pouvaient rivaliser avec les atours des *Fâcheux*, dont les vives couleurs promettaient de la gaieté à la lueur de trois maigres lumignons. Elles parlaient de misères joyeusement acceptées, d'horizons toujours nouveaux, de bivouacs au clair de lune.

— J'ai une belle robe. Tu veux la voir ?

Elle n'avait pas attendu la réponse. Elle s'était levée, avait disparu dans une autre pièce dont elle avait refermé la porte avec soin. Une petite princesse était réapparue, la tête haute, les bras loin du corps pour ne pas frôler une robe à rayures jaunes et bleues, qui lui faisait la taille fine et le teint lumineux. Gabriel était resté sans voix, saisi d'une admiration qu'elle pouvait lire sur son visage et qui la rendait si jolie.

Mais l'heure n'était pas à la rêverie. Vêtu du paletot dont les basques recouvraient la presque invisible couture de la culotte réparée, il écoutait maintenant la salle qui s'emplissait. Un brouhaha lui parvenait, traversé par des éclats de voix, des heurts de sièges qu'on déplaçait ou les protestations d'un mécontent. Dans les coulisses, les acteurs piétinaient, pris par leur rôle, indifférents à ce qui les entourait. Le long de la rampe, quelques chandelles, de loin en loin, brûlaient.

La Grange indiqua d'un signe à Gabriel qu'il pouvait allumer les autres. Une mèche à la main, le garçon entrait en scène quand Armande, par un hasard malencontreux, croisa ses pas. Elle refusa de s'effacer. Il hésita, essaya de passer devant elle, se ravisa, passa derrière, et son pied vint se poser sur le fond de la robe à traîne.

Au moment même où le rideau s'ouvrait.

Armande se cambra, arrêtée dans sa marche qu'elle voulait majestueuse. Le public ne perdit rien du spectacle. Un grand rire fusa. La coquette offensée décocha à Gabriel une gifle retentissante qui l'étourdit. Après quoi, elle se jeta dans l'ombre. La salle, croyant à un jeu de scène destiné à la divertir, rit de plus belle. Immobile face à cette hilarité qui le blessait plus encore que la gifle, Gabriel bouillait d'une rage mal contenue.

Certes, il avait été maladroit. Mais l'incident lui montrait l'animosité d'Armande à son égard. Pourquoi n'avait-elle pas laissé croire à un jeu de scène qui aurait sauvé sa dignité et n'aurait pas ridiculisé celui qui en était la cause ? Jamais elle ne le lui pardonnerait.

La colère ne le quittait pas. Contre lui-même, contre elle. Quand les rires cessèrent, il s'approcha de la rampe. C'était décidé. Ce soir-là, il moucherait les chandelles pour la dernière fois.

11
Départ

IL N'Y EUT PAS de représentation le lendemain. Gabriel attendit deux jours avant
d'aller trouver Molière. Deux jours au
cours desquels il choisit les mots qu'il dirait,
les rejeta, les reprit, les ordonna en phrases
faciles à prononcer tant qu'il ne les bredouillait
qu'à lui-même. Il en serait autrement lorsqu'il
se trouverait devant celui pour qui il éprouvait
de la reconnaissance.

Le second matin, il retourna à Auteuil et mit
Amapola dans le secret.

— Beppino serait toujours d'accord pour
m'emmener avec vous, Amapola ?

— Tiens, pardi ! Hier encore nous en avons
parlé. Au théâtre, il y a une ingénue un peu
ou beaucoup désolée, un vieil imbécile et un

bel amoureux. Plus quelques valets et autres fiers-à-bras dont, à la rigueur, on peut se passer. Mais pas du bel amoureux : celui-là, il est indispensable. Du moins dans le théâtre qui sera le nôtre. C'est l'avis de Beppino.

— Ne le lui dis pas encore, mais je crois que je vais partir avec vous.

Elle ne lui dissimula pas combien elle en était heureuse.

— Décide-toi vite ! Nous partons dans huit jours.

Il n'y avait plus à reculer. Gabriel sentait encore brûler sur sa joue la gifle d'Armande. De retour au Palais-Royal, il entra sans se faire remarquer. Il plia le costume de moucheur de chandelles en prenant soin que le raccommodage fût à l'intérieur des plis. Il l'enveloppa dans le morceau de tissu et, déterminé, descendit le grand escalier avant de frapper à la porte de Molière. Il fut content de n'avoir rencontré personne en chemin.

Jean-Baptiste était seul. Assis dans un fauteuil devant la fenêtre, il s'abandonnait à un de ces moments de mélancolie dont il était coutumier. Que remuait-il dans ses pensées alors que le crépuscule envahissait la chambre peu à peu ? Son visage était empreint de fatigue et, plus encore, d'une tristesse qu'il ne chercha pas à masquer.

— Que veux-tu, Gabriel ?

Ses yeux se portèrent sur le paquet tenu à bout de bras. Le geste était trop inhabituel pour ne pas soulever une interrogation.

— Qu'est-ce là ?

— Le costume que vous m'avez donné, monsieur.

— Il ne te plaît plus ?

— Oh si, monsieur !

— Alors ?

— Je vous le rapporte parce que je m'en vais.

— Tu t'en vas !

— Oui, monsieur.

C'était dit. Gabriel avait cru qu'il ne serait jamais capable de le dire, et c'était dit. Il y eut un grand silence dans la pénombre. Molière le rompit.

— Où ?

Comment poursuivre ?

— Chez les saltimbanques. Pardonnez-moi si vous me jugez ingrat. En réalité, je ne le suis pas, monsieur. Vous avez été très bon pour moi. Grâce à vous, j'ai découvert ce qu'est une table, un toit dont les morceaux ne me tombent pas sur la tête. En plus, j'ai appris beaucoup de choses très importantes dont je me souviendrai. C'est bien, tout ça, mais je n'ai pas ma place ici.

— Quelqu'un a-t-il été désagréable avec toi ?

— Non ! Non ! Personne ! Mais je dois m'en aller.

— Pourquoi ?

— Parce que je ne deviendrai jamais un La Grange. Je suis de la famille du Pont-Neuf. Valère, Éraste, c'est pas pour moi. D'abord, où je trouverais l'argent pour acheter mes costumes de scène ? Il y faut une autre condition que la mienne. Si je reste, je ne serai rien de plus qu'un moucheur de chandelles.

Au fond de lui, il attendait des protestations, des encouragements et des appels à la patience. Pas la moindre protestation ne vint. Molière se tut tout à coup, avant de demander assez brutalement :

— Que vas-tu faire ?

— Partir sur les routes avec un théâtre.

— Sais-tu ce qui t'attend ?

Gabriel se sentait délivré d'un grand poids. Le maître ne s'était pas emporté, n'avait pas crié à l'ingratitude. Surtout, il ne l'avait pas accablé de son mépris. Ils parlaient presque d'égal à égal, à mi-voix, unis par une connivence étonnante.

— Oui, monsieur.

— Le froid, la faim, les dangers...

— Oui, monsieur.

— Les représentations dans les courants d'air, des recettes de misère...

— Oui, monsieur.

— Un public d'ignorants...

— Non, monsieur. Le public sera satisfait si on lui donne ce qu'il veut.

Molière détourna la tête. Enfoncé dans son fauteuil, il resta immobile un long moment, pendant lequel son regard se perdit à travers la fenêtre. Il revoyait ses années de jeunesse. L'Illustre Théâtre n'avait pas vécu exactement les errances désargentées des saltimbanques auxquels Gabriel allait se joindre, mais ce furent errances tout de même. Ils avaient eu alors du bonheur, parce que l'espoir les soutenait, lui et sa troupe, parce que la protection de grands seigneurs rencontrés procurait de bonnes occasions de se produire devant des spectateurs de province intrigués par le parfum d'un ailleurs que les comédiens apportaient.

— Tu as raison de partir. C'est en jouant qu'on apprend le métier. Et si tu reviens à Paris...

— Je pourrai vous... ?

— Quand pars-tu ?

— Demain.

— Demain ! Impitoyable jeunesse ! Il me met devant le fait accompli.

En adulte que la pudeur retenait, Molière n'en dit pas davantage. Une sorte de sentiment paternel qu'il n'aurait su définir l'avait poussé vers cet enfant. Il s'en voulait de lui avoir créé involontairement des espérances impatientes.

— Tiens, fit-il en prenant trois louis dans une cassette sur la table. Ils te seront utiles.

— Merci, monsieur.

Gabriel déposa le costume à côté de la cassette. Il allait sortir quand Molière, s'arrachant à ses réflexions, le rappela.

— Garde-le. Il n'est pas seulement l'habit d'un moucheur de chandelles.

*
**

Le matin fut long à venir. Gabriel n'avait pu trouver le sommeil. Il s'était décidé à partir avant que la maison ne s'éveillât. Il éviterait ainsi les questions auxquelles il ne voulait pas répondre et surtout l'indifférence, preuve qu'aux yeux de tous il n'existait pas. Il prit ses affaires qu'il avait préparées la veille. Sur la pointe des pieds, il s'engagea dans l'escalier. Le jour naissait. Ce n'est pas une heure où les comédiens sont levés. Il était rassuré, il ne rencontrerait personne.

— Alors, c'est donc vrai, tu nous quittes ?

La Grange se trouvait devant lui, vêtu d'une robe de chambre somptueuse, la porte de son appartement entrouverte. Avait-il été réveillé par un bruit ?

— Vous ne dormiez pas, monsieur ?

— Jean-Baptiste m'a parlé de toi, hier soir. Tu t'en vas ?

— Oui, monsieur.

— Je te souhaite bonne chance. Je sais, on ne souhaite pas bonne chance au théâtre, se reprit-il. Cela porte la guigne. Superstition. Mais nous avons besoin de superstitions et d'amulettes pour faire notre métier.

Il parlait d'une voix douce, avec de l'amitié et une sincérité peu commune dans ce milieu. Gabriel eut le sentiment que le beau comédien avait guetté son passage pour ne pas le laisser partir comme un voleur, sans un mot de sympathie.

« Non, se dit-il, ce n'est pas possible. La Grange se moque bien de moi. »

Le jeune homme sortit du revers de sa robe de chambre une poignée de rubans.

— Prends-les.

Des rubans mordorés, de soie précieuse, assemblés en un nœud joliment composé. Deux jours avant, ils ornaient encore l'épaule de Valère, l'amoureux de *L'École des maris*.

— Ce sera ton porte-chance, ajouta La Grange en souriant.

Le petit moucheur de chandelles se demanda s'il ne rêvait pas. Ainsi, sans qu'il le sût, il avait existé aux yeux de quelqu'un.

Quand il referma la porte, il jeta un dernier regard à la façade sévère, solide, imposante, tout ce qu'on pouvait dire du corps de garde où il avait vécu avec les comédiens d'une des troupes illustres de Paris et ne convenait pas pour qualifier le nid à rats de Catoche qui avait été longtemps son refuge. Deux mondes, et le sentiment de n'appartenir ni à l'un ni à l'autre.

Sans plus se retourner, il prit la direction des quais. La rue dormait encore, odorante de tous les relents de la nuit, lourde de ce qu'elle avait abrité au sein de l'obscurité complice, des rencontres fortuites et des pièges tendus. Gabriel, riche des trois louis que Molière lui avait donnés, redoutait maintenant les menaces de la nuit. Le balluchon qu'il portait sur l'épaule, au bout d'un bâton, à la manière des hommes venus chercher un gagne-pain, pouvait lui aussi attirer l'attention d'un maraudeur attardé aux premières heures du jour.

Cette idée le préoccupait d'autant plus qu'il avait l'impression d'être suivi. Plusieurs fois, il tendit l'oreille sans entendre le moindre bruit. Il devait se tromper. La peur lui faisait imaginer des choses.

Pour en avoir le cœur net, il s'arrêta, regarda derrière lui. Un homme se dissimulait dans l'angle d'un pan de mur. Quand il se vit découvert, il sortit de sa cachette et, avec une lenteur étudiée, se dirigea vers Gabriel. Le garçon reprit sa marche. L'autre pressa le pas.

— Où tu vas si vite ?

— Chercher du travail.

— Du travail ? Tu aimes le travail, toi ?

— Ben... oui.

— Quelqu'un t'avait pas proposé un petit travail, par hasard ?

Gabriel hésita, ne sachant pas exactement ce que l'inconnu voulait dire. Cette façon sournoise de poser des questions d'un air détaché, en donnant du même coup la réponse, lui rappelait le grand échalas. Une intimidation bien mise au point. Sa gêne redoubla.

— Non.

— Je sais d'où tu sors. Une maison où il n'est pas facile d'entrer, pas vrai ?

— Oui.

— On t'a pas parlé d'un verrou ?

— Qui tu es ?

— Qu'est-ce que ça peut te faire ? Un verrou, non ? Un bon gros verrou comme les bourgeois les aiment, bien solide pour bien s'enfermer.

Gabriel mesura le danger qu'il courait.

— Je ne vois pas ce que tu veux dire, balbutia-t-il avec l'espoir de retarder le coup.

Le ciel s'éclaircissait dans la bande étroite entre les toits. Bientôt, les gens sortiraient de chez eux. Le mauvais sujet lancé à ses trousses n'oserait pas l'attaquer. Peut-être pas.

— Un bon gros verrou, siffla l'individu en abattant sur l'épaule de Gabriel une main lourde comme du plomb.

— Qui t'envoie ?

— Pas la peine de te dire son nom. Tu l'as déjà vu. Il ne t'oublie pas.

Gabriel joua son va-tout.

— Croque-Maille.

— Ah bon ! Il t'a dit qu'il s'appelait comme ça ? Peu importe. Il n'a jamais le même nom.

D'un mouvement brusque, Gabriel se dégagea de la main qui pesait sur lui.

— Il y a huit jours que j'ai quitté mon maître, mentit-il avec autant d'assurance qu'il pouvait en trouver. Si je suis sorti de sa maison tout à l'heure, c'est que j'étais allé y prendre des affaires. Je les avais laissées en attendant d'avoir du travail.

Pour faire bonne mesure et noyer son agresseur dans un flot de paroles, il ajouta :

— D'ailleurs, du travail, j'en cherche toujours. Dis à Croque-Maille que je peux rien pour lui.

Il recula d'un pas, puis d'un autre, et puis d'un autre. Il n'osait pas encore se retourner.

L'homme ne l'empêchait pas de s'éloigner. C'était inespéré. À n'y rien comprendre. Gabriel reprit courage. Dans un accès de témérité, à moins que ce ne fût l'effet de son aplomb revenu, il jeta, comme un os à un chien :

— Pour cette fois !

Les routes de province étaient sans fin. Il irait d'un village perdu à un hameau dont Croque-Maille, oiseau des fripouilleries parisiennes, ignorait l'existence. S'il atteignait Auteuil, il serait sauvé.

Résolument, il tourna les talons.

La barque de Saint-Cloud était rangée le long de son embarcadère, en attente de passagers. Les bateliers dormaient, allongés sur l'herbe rase, le chapeau de jonc recouvrant les yeux, jambes en compas. Parfois l'un d'eux grognait dans son sommeil. On n'aurait pu dire si c'était de satisfaction ou de mécontentement à l'approche du départ. Aucun voyageur ne s'était encore présenté. Répit bienvenu. Le soleil d'automne chauffait avec douceur, l'heure était bonne, qui ne saurait durer.

Gabriel s'arrêta. L'envie de quitter Paris en une prodigalité folle s'insinua dans son esprit. Pas question d'écorner les trois louis, il n'avait pas l'intention de les gaspiller. Mais quelques sols ? Ne pouvait-il s'offrir une descente de la Seine pour quelques sols gagnés avec les chandelles ? C'était folie assurément.

Il s'interdit d'y penser.

Un gros homme arriva, qui se donnait des airs d'importance et avait le verbe haut.

— Je suis pressé, mes braves ! Partons tout de suite !

Un des braves repoussa de l'index l'aile de son chapeau et, paupières à demi fermées, considéra cet énergumène qui ne savait attendre. Il ne répondit pas afin de s'éviter d'inutiles fatigues. Il remit son chapeau sur les yeux et fit mine de se rendormir.

Le temps de repos était terminé. Une famille au grand complet envahit les planches du ponton. La mère criaillait dès qu'un des enfants s'approchait du bord. Entre deux gronderies à un garçonnet qui ne tenait pas en place et à une petite fille minaudière, elle se plaignait des nausées à venir car le fleuve lui paraissait agité.

— Je vous le redis, mon ami. Vous auriez mieux fait de louer une voiture. Vous savez comme j'ai le cœur fragile et qu'aller sur l'eau ne me réussit pas.

L'époux devait s'être habitué à d'éternels reproches. Il saisit au collet son diable de fils qui se penchait pour voir les poissons et opposa une belle indifférence aux griefs de sa femme.

Les bateliers se levèrent sans hâte, s'étirèrent, regardèrent avec soin de quel côté venait le vent. Le gros homme manifesta de nouveau son impatience.

— Montez ! ordonna le patron.

La barque oscilla. Les amarres dénouées, elle allait glisser au fil du courant.

— Attendez-moi ! s'écria Gabriel.

Il quittait Paris en s'offrant un départ de prince.

12
Trois ans après

C'ÉTAIT DÉCEMBRE durci de gel et griffé de bise, qui jetait aux visages de cinglantes envolées de neige. Ils allaient, enveloppés de mantes, d'écharpes, et coiffés d'un capuchon ou d'un chapeau, les yeux au sol pour mieux résister à la tourmente. La plaine champenoise toujours infinie ne leur promettait rien d'autre qu'un chemin verglacé. Ils allaient parce qu'ils n'étaient de nulle part et qu'au bout de cette route qui, justement, semblait ne mener nulle part, leur gagne-pain les attendait peut-être.

Le vieux cheval tirait le chariot avec une vaillance née de la soumission à des efforts sans limites. Un instinct de bête épuisée lui commandait de ne pas s'arrêter. Comment aurait-il pu repartir s'il s'était arrêté?

Lorsqu'un jour il s'arrêterait à l'entrée d'un vallon ou sur un causse venteux, il ne repartirait plus. Pour le moment, il tirait le chariot dans lequel les comédiens transportaient leur nécessaire qui était bien peu de chose et pourtant se faisait lourd en ces temps de décembre.

Beppino avançait à côté du cheval, tempe plaquée à l'encolure afin de lutter ensemble. Parfois, il puisait dans sa mémoire un mot ensoleillé du dialecte vénitien pour communiquer une illusion de chaleur à l'animal harassé. On était aux jours les plus courts de l'année. Après Noël, la lumière reviendrait, on aurait alors cent raisons d'espérer. Il marchait, Beppino, et il se taisait, lui, le bavard qui, d'un flot de paroles, refaisait le monde à sa convenance.

Gabriel et Amapola suivaient le chariot par souci de se protéger de la bise. Serrés l'un contre l'autre, ils étaient silencieux, eux aussi, ne voulant pas dépenser leurs forces en d'inutiles plaintes. Quand la jeune fille trébuchait, le garçon entourait ses épaules d'un bras protecteur, et elle trouvait encore le moyen de lui adresser un sourire qui était de reconnaissance et peut-être de quelque chose de plus. Picotin avait grandi. Dans peu de temps, il cesserait de se dessiner des moustaches avec du bouchon noirci à la flamme. Trois années de voyage avaient fait de lui un adolescent bien découplé.

Loin derrière, seul parce qu'il le voulait ainsi, l'homme d'Orvieto affrontait la bourrasque. Il avait conservé son caractère difficile, se liait avec réticence, mais était le plus honnête compagnon de galère. Il entretenait son mystère, jouait volontiers les déclassés et le faisait avec panache. Son personnage de Matamore le portait aux attitudes extrêmes que le succès auprès du public encourageait. Il vendait ses tonitruantes répliques comme autrefois les petits pots de terre cuite, et l'assistance ne savait jamais si elle devait rire ou trembler.

À travers le brouillard neigeux qui s'épaississait, Beppino crut apercevoir un fantôme de clocher. Il n'en dit rien pour ne pas décevoir les autres s'il s'était trompé, mais il garda les yeux rivés sur ce point gris posé au loin. Sa vue se troublait. Il désirait tellement que ce fût un clocher !

C'est à ce moment-là que le cheval broncha. Les sabots glissèrent sur une plaque de glace et il s'écroula d'un coup. Gabriel se précipita pour l'aider à se relever.

— Va à l'arrière du chariot et pèse de tout ton poids, lui demanda Beppino. Moi, je vais soulever les brancards. Avec un peu de chance on y arrivera.

Il gardait son calme, convaincu de la responsabilité qui lui incombait. Il était le chef de ces comédiens auxquels il avait promis des merveilles. Il avait l'obligation de les protéger contre les intempéries, la pauvreté, et plus encore contre eux-mêmes, si imprévoyants aux beaux jours de l'été, si vite démoralisés dans l'interminable hiver qui leur menait la vie dure.

— Quand je te le dirai... Oh ! hisse !

Gabriel avait retrouvé toute son énergie. Le cheval ne devait pas mourir sur ce sale chemin d'une contrée perdue.

— Force tant que tu pourras !

Tous deux s'évertuèrent à secourir la malheureuse bête. Elle sembla comprendre ce qu'on attendait d'elle. Gros insecte maladroit qui se débattait, elle finit par rassembler ses sabots antérieurs, prit appui sur la glace où elle dérapa de nouveau et, d'un violent coup d'échine, parvint à se relever.

— Bravo ! murmura Beppino en posant son front sur les naseaux frémissants.

Il y avait dans ses yeux des larmes qui n'étaient pas dues seulement au froid.

— Va ! Ne te presse pas, dit-il. Nous avons tout notre temps.

Main crispée sur la bride, il reprit sa marche, plus près encore de l'encolure. Les roues grinçaient, les sabots claquaient, les naseaux renâclaient. La vie reprenait. Beppino refoula l'accès d'attendrissement qui soudain l'avait affaibli.

La floconnée s'était interrompue. Occupés par la chute du cheval, ils ne l'avaient pas remarqué. Quand ils regardèrent droit devant eux, dans une déchirure des nuées au ras de l'horizon, le clocher apparut.

— Amapola ! Picotino ! Nous sommes au bout de nos peines ! s'écria Beppino. C'est un gros village ! Il y a une auberge, nous allons nous arrêter.

Personne ne le lui avait dit, mais il le désirait tellement qu'il ne pouvait qu'y avoir une auberge. Et elle y était, à l'entrée du bourg. Un relais aux murs épais, au toit bosselé et pentu. Une bonne, une solide auberge. La neige pouvait tomber !

L'aubergiste, quand ils pénétrèrent dans la cour, sortit sur le pas de la porte pour voir l'étrange équipage qui lui arrivait. Ce n'était pas celui qu'il attendait. Il considéra d'un air soupçonneux le cheval éreinté, le chariot barbouillé de jaune et de vermillon, que les chemins détrempés avaient rebarbouillé de boue.

— Des saltimbanques, fit-il. Il ne manquait plus qu'eux !

Beppino lut le désagrément sur le visage de celui qui, coûte que coûte, devait devenir leur hôte d'un soir. La partie était loin d'être gagnée.

— Salut, la compagnie ! dit-il en modérant son faux entrain jovial pour donner une impression favorable. Je parie que, dans cette maison, qui dort dîne.

— Exactement.

Le bourru allait retourner à sa cheminée dont on voyait les flammes à travers la fenêtre.

— Nous avons de quoi payer le dîner. Quant à dormir, il y a, là-bas, un grenier à foin qui fera l'affaire.

L'aubergiste était un brave homme. Il n'aurait pas eu le cœur de rejeter dans la nuit de l'hiver des pauvres gens soucieux de s'acquitter de leur repas. Pourtant, il hésitait.

— C'est que ça tombe mal. J'attends un relais de la plus haute importance.

Sa mine s'assombrit tout à coup. Il semblait regretter d'en avoir trop dit. Beppino pressentit qu'il pouvait pousser plus avant.

— Que diriez-vous d'une représentation, ce soir ? Votre grange est vaste. Nous n'avons pas besoin de beaucoup de place. Les gens du village viendront. Ils seront contents de veiller et cela vous fera de la pratique [1].

Il voulait convaincre, Beppino, et il y parvint presque. Amapola emporta l'accord en s'avançant, si menue dans sa mante dont elle rejeta le capuchon en arrière.

« S'il vous plaît, monsieur », dit-elle seulement avec les yeux.

— Bon ! Mais si j'ai relayé d'ici là. Sinon...

Ils ne s'approchèrent de la cheminée que lorsqu'ils eurent dételé le cheval, qu'on lui eut donné un coin de l'écurie dans l'endroit le plus sombre où il ne gênerait pas le passage des

---

1. De la clientèle.

autres chevaux, un seau d'eau fraîche et une botte de foin. Alors ils s'accordèrent de penser à eux-mêmes. Une écuelle de bouillon qu'une servante leur apporta acheva de les réconforter.

Amapola s'assit au coin de l'âtre. Un marmiton ensommeillé tournait la broche. Poulets et canards se couvraient d'une croûte dorée. Des gouttes de jus qui en tombaient grésillaient sur les braises. Il faisait bon, il faisait chaud après les intempéries endurées. La jeune fille s'amollissait, livrée à une langueur heureuse faite de fatigue, d'odeurs de rôti, d'un bien-être qui la rendait faible maintenant qu'elle pouvait se le permettre. Ses compagnons étaient sortis pour examiner comment ils organiseraient la représentation dans la grange. Elle fut seule un long moment avec l'enfant qui ne disait mot.

Quand Gabriel revint, il l'enveloppa d'un regard plein de sollicitude.

— Le village est à deux pas. Beppino et Luciano sont allés annoncer le spectacle. Ce ne sera pas facile avec un gel pareil. Les gens sont enfermés chez eux, mais les commères se chargeront de répandre la nouvelle. Du moins, je l'espère.

Comme elle faisait mine de se lever, il la força à se rasseoir.

— Reste-là. Repose-toi.

L'aubergiste rentra. Il paraissait soucieux. À plusieurs reprises, il ouvrit la porte et se tint immobile. On voyait qu'il attendait une visite. Après quoi, il refermait la porte, cherchant à cacher sa préoccupation. Il n'avait pas menti quand il avait prétendu que quelqu'un devait relayer. Le manège dura jusqu'au moment où le jour commença à décliner.

— Pourquoi tardent-ils tant ? ne put-il s'empêcher de demander à sa femme. On les avait annoncés pour midi.

— Te tourmente pas ! L'essentiel, c'est qu'ils boivent sec et qu'ils paient rubis sur l'ongle. Le reste, pour ce que tu en as à faire... !

— Ce que j'en ai à faire ! Ce que j'en ai à faire ! Tu en as de bonnes ! Un ordre royal ! Est-ce que tu te rends compte ?

Gabriel prêta l'oreille. Quelque chose d'inhabituel se préparait dans cette auberge et il était question du roi. Le roi allait-il passer par là, s'arrêter même pour se restaurer ? Les suppositions couraient bon train dans la tête du garçon qui, pour avoir vu Louis XIV un jour, se faisait une idée toute personnelle des habitudes des rois en voyage.

On entendit soudain une cavalcade et la cour fut tout de suite remplie de mousquetaires. Un carrosse arriva à son tour. L'aubergiste se précipita dehors, rameutant les valets d'écurie pour qu'on dételât au plus vite.

— Prends ton temps, compère, dit celui qui commandait le détachement. Tu as senti le froid qu'il fait ? Mets du vin en perce et donne à boire à mes hommes.

Sur ces paroles, il entra dans la salle et Gabriel reconnut d'Artagnan. Plusieurs fois, au long des marches derrière le chariot, il avait décrit la nuit de Vaux à Amapola, sans rien omettre de ce qu'il avait vu, de l'éclat de la fête et des gens rencontrés. Il se souvenait du beau cavalier caracolant à l'arrivée du roi. Il était de nouveau devant lui, toujours fringant et le verbe sonore, son chapeau jeté sans façon sur la table.

D'Artagnan alla à la cheminée en deux enjambées, se pencha sur la broche et, d'un geste sec, arracha une aile de poulet avant de sortir, toujours aussi impétueusement.

Les mousquetaires avaient envahi l'auberge. Ils se livraient à des plaisanteries de soudards en tendant leur gobelet aux servantes, affalés sur les bancs et visiblement désireux de faire durer la halte.

— Vous allez où ? demanda Gabriel à celui qui paraissait le plus jeune.

— Ça, mon gars, c'est secret.

Mais il mourait de l'envie d'en raconter davantage.

— Au Piémont, si tu veux le savoir.

— C'est loin ?

— Comme qui dirait. La forteresse de Pignerol, tu en as entendu parler ?

— Pas du tout.

Il pouvait faire l'important sans danger. Il était devant un benêt qui n'avait jamais rien vu, croyait-il.

— On y conduit un prisonnier. Et pas n'importe qui. Son nom ne te dira rien. C'est Nicolas Fouquet.

Gabriel réprima un sursaut. Il évita de regarder Amapola pour ne pas se trahir. Car il voulait en savoir plus. La silhouette de celui qu'il avait aperçu, entouré d'une gloire trop insolemment étalée, près de l'invité royal revenait devant lui. Il se souvenait aussi de l'émoi de Marquise Du Parc annonçant à la troupe réunie comme un parterre de théâtre : « Fouquet a été arrêté ! » Pendant trois ans, le surintendant destitué s'était morfondu dans des cachots et il était maintenant en route pour une forteresse lointaine.

« Nous perdons un ami », avait ajouté Molière.

Profitant de l'animation bruyante, Gabriel s'esquiva. Dans la cour, le carrosse avait changé d'attelage. Dissimulé au plus profond d'un recoin ténébreux, portières armées de grilles, il était prêt à partir. Quatre hommes l'enca-draient, à la fois attentifs à leur mission de sur-veillance et très à l'écoute de ce qui se passait dans l'auberge. Le vin, ce soir-là, ne serait pas pour eux, à moins qu'une âme charitable ne leur en apportât une pinte avant qu'ils se remettent en route. La privation les rendait mécontents.

— Écarte-toi ! aboya l'un d'eux quand Gabriel voulut s'approcher.

— Pourquoi que j'peux pas voir un tant beau carrosse ? marmonna le garçon.

Passer pour un niais lui avait déjà servi. Il accentua le personnage, en fit un arriéré tel qu'il pouvait ne tenir aucun compte de la sommation, et la manœuvre réussit.

— T'occupe pas, dit le garde qui se trouvait près des chevaux. Il n'a pas inventé la poudre. Demande-lui plutôt de nous porter à boire.

Gabriel put ainsi faire le tour de la sinistre voiture. Il paraissait si inoffensif !

— Pour un beau carrosse, c'est un beau carrosse ! ajouta-t-il afin de faire bonne mesure d'air ahuri. Sûr qu'le roi, il en a pas d'pareil !

— Va lui poser la question, ironisa l'un.

— Si tu le vois, se moqua un autre.

— Pourquoi qu'j'irais pas voir le roi ? Ça se peut bien qu'j'aille chez le roi. P't-être même que j'l'ai déjà vu, le roi.

Il bégayait, hoquetait, traînait sur les syllabes et, profitant de l'heure sombre, il fut bientôt près de la portière. Aucun signe de vie ne lui parvenait de l'intérieur. Le prisonnier devait dormir pour oublier sa misérable condition. Il se sentait sans doute bien seul et bien abandonné.

Gabriel s'assura qu'on ne le surveillait pas. De l'index replié, il frappa trois fois contre la portière. Il attendit. Trois petits coups lui répondirent. Le malheureux avait perçu ce signe de compassion.

L'obscur moucheur de chandelles était quitte avec celui qui lui avait indirectement procuré un très court instant de gloire, quelques pas sur une musique brillante, dans une scène des *Fâcheux*. En retour, Gabriel avait donné, avec toute la chaleur d'un esprit reconnaissant, trois très légers coups de l'index sur le bois de sa prison roulante.

Seulement trois.

Mais c'était beaucoup pour qui, après avoir été l'un des plus puissants du royaume, sinon le plus puissant, n'était rien d'autre désormais qu'un être souffrant.

D'Artagnan rassembla ses mousquetaires. Ils furent vite en selle, dans un tourbillon impatient. La halte avait été bonne, le vin avait réchauffé les cœurs. On pouvait affronter des lieues de neige au cours d'une chevauchée qui durerait jusqu'au matin.

— Et pour nous, pas seulement un pot, ronchonnèrent les quatre gardes transis.

Le cocher enveloppa l'attelage d'une lanière de fouet qui siffla aux oreilles des bêtes sans les toucher. Le carrosse s'ébranla. Mousquetaires et prisonnier disparurent dans la nuit.

La troupe de Beppino dîna avec les restes des volailles rôties. De quoi faire chère convenable si l'on n'était pas trop difficile. Et pourquoi l'aurait-on été quand on pouvait grignoter une aile de poulet, mordre dans un pilon et ronger une carcasse à la chaleur d'un feu regarni de bûches ?

Gabriel contemplait les flammes et restait plongé en lui-même. Sa pensée était au loin, en route pour ce Pignerol inconnu dans un Piémont dont, jusqu'à ce jour, il n'avait pas su l'existence. Il voyait une forteresse aux remparts écrasant la montagne de leur masse de pierre, un donjon battu des vents, un pays sans joie, coupé du monde au point d'avoir été choisi par un monarque orgueilleux pour y ensevelir l'insolent qui avait voulu se mesurer à lui.

— Tu n'es pas très bavard, ce soir, remarqua Beppino. J'espère que tu le seras un peu plus tout à l'heure.

Les villageois commençaient d'arriver, bravant la froidure, emmitouflés, contents de se retrouver, d'échanger des propos, de troquer le confinement de leur salle commune contre celui de la grange. Ils s'interpellaient dans la clarté vacillante des lanternes, contemplaient avec une curiosité admirative le rideau qui pendait d'une poutre pour créer un fond de scène, le banc sur lequel des gens différents d'eux viendraient s'asseoir. Le décor au grand complet. N'étaient les quelques sous dont il faudrait acquitter sa part de rêve, chacun aurait été tout à fait heureux de cette soirée d'hiver inattendue.

De derrière le rideau, sans prévenir, un bravache surgit qui, d'une voix tonnante, apostropha l'auditoire, réclamant l'attention et promettant effrois et tremblements. Des bambins se mirent à pleurer, saisis de peur et hurlant plus fort que Matamore. Le ton était donné, la farce lancée.

Un pierrot entra à son tour, l'air d'avoir la tête ailleurs, ses grands yeux perdus dans le vague. Des rubans mordorés flottaient sur son épaule.

Il s'avança d'un pas dansant en agitant ses manches. Sur son visage enfariné passa un étonnement, une espèce de crainte ou de tristesse à faire mourir de rire. L'assistance s'esclaffa.

Gabriel tenait son public sous le charme. Il avait beaucoup appris pendant ces trois ans. Si, pour le prisonnier roulant vers Pignerol, il n'y avait plus d'espoir, pour lui, ancrée fermement, restait la conviction qu'il se réaliserait un jour, au bout de la route.

*Petite galerie
des personnages illustres*

Jean-Baptiste Poquelin, dit Molière
(1622-1673)

Sa rencontre avec Tiberio Fiorelli, qui tenait le rôle
de Scaramouche dans la troupe des Comédiens italiens,
lui fit choisir le théâtre et abandonner ainsi
son projet de devenir avocat.

Pierre CORNEILLE
(1606-1684)

Il naquit rue de la Pie, à Rouen. Timide et assez gauche,
il dut renoncer à être avocat par manque d'éloquence.
Ce bourgeois discret devait devenir, à travers ses pièces
– principalement des tragédies –, le chantre des âmes grandes
et des exigences de la fierté.

Jean de LA FONTAINE
(1621-1695)

Délaissant son foyer et sa charge de maître des Eaux et Forêts,
cet écrivain vécut sous la protection de Nicolas Fouquet
jusqu'à la chute de celui-ci.
Insouciant et distrait, il eut pourtant le courage
de solliciter la clémence du roi en lui adressant
L'Élégie aux nymphes de Vaux.

Louis XIV
(1638-1715)

Il se servit de l'arrogante nuit de Vaux-le-Vicomte
pour affirmer sa volonté de gouverner en maître absolu
et reprendre la notion de monarchie de droit divin.
Il régna de 1643 jusqu'à sa mort.

Jean-Baptiste COLBERT
(1616-1683)

Il était le fils d'un marchand drapier de Reims, dont l'enseigne
représentait un homme et portait ces mots : « Au long vêtu ».
Au milieu des soies et brocarts de la cour, il affecta longtemps
de rappeler ses origines, en portant un habit de drap brun.
En raison de sa froideur, Mme de Sévigné
l'avait surnommé « le Nord ».

Nicolas Fouquet
(1615-1680)
Arrêté à Nantes, le 5 septembre 1661,
il allait connaître plusieurs geôles
avant de mourir à Pignerol, au mois de mars 1680.
Il fut incarcéré tour à tour à Angers, Amboise,
Moret, Vincennes et enfin à la Bastille, le 18 juin 1663.

Louise Françoise de LA BAUME LE BLANC,
duchesse de LA VALLIÈRE
(1644-1710)

Elle avait dix-sept ans, le roi vingt-trois.
Elle fut éblouie, lui aussi.
Mais, après les années à la cour, pendant lesquelles
sa sensibilité fut souvent heurtée,
elle demanda au Carmel de lui accorder le silence.

Madeleine Béjart
(1618-1672)

Rousse et douée d'un beau tempérament d'actrice,
elle disait les vers admirablement.
Elle dirigea L'Illustre Théâtre avec Molière
et tint assez souvent un emploi de soubrette.

Armande Béjart
(1642-1700)

Le mystère de sa naissance n'a jamais été totalement élucidé.
Était-elle la sœur ou la fille de Madeleine ?
Molière l'épousa en 1662 et n'en fut pas heureux.

Charles VARLET, sieur de LA GRANGE
(1635-1692)

Jeune premier dans la troupe de Molière,
il laissa un document précieux en établissant le registre
des représentations et le montant des recettes,
ainsi que la répartition de celles-ci entre les acteurs.

Charles de Batz, comte de Montesquiou,
seigneur d'Artagnan
(1611-1673)

Il était un gentilhomme gascon. Capitaine des mousquetaires,
il fut chargé d'arrêter Fouquet et, plus tard, de le conduire
à Pignerol. Mais il refusa de garder le prisonnier
dans la forteresse piémontaise.
« J'aime mieux servir comme simple soldat que d'être geôlier »,
répondit-il à Colbert, puis à Louis XIV.

Table des illustrations

Page 209 : *Molière*, par Nicolas Habert, vers 1650, gravure.
BNF, Paris. © Lauros/Giraudon/The Bridgeman Art Library.

Page 210 : *Pierre Corneille*, par Michel Lasne, XVIIe siècle, gravure.
BNF, Paris, BIS/Ph. Coll. Archives Larbor.

Page 211 : *Jean de La Fontaine*, par Gérard Edelinck, XVIIe siècle, gravure.
BNF, Paris. BIS/Ph. Archives Bordas.

Page 212 : *Louis XIV*, extrait de *Histoire de la Révolution française*, de Louis Blanc, XIXe siècle, gravure.
Collection privée © Ken Welsh/The Bridgeman Art Library.

Page 213 : *Jean-Baptiste Colbert*, par Robert Nanteuil, 1662, gravure.
© Akg-Images.

Page 214 : *Nicolas Fouquet*, par Robert Nanteuil, XVIIᵉ siècle, gravure de Maurin.
Musée de la Ville de Paris-Musée Carnavalet, Paris. © Lauros/Giraudon/The Bridgeman Art Library.

Page 215 : *Mademoiselle de La Vallière*, Louise de La Baume Le Blanc, 1820, lithographie de F. S. Delpech.
BNF, Paris, © Akg-Images.

Page 216 : *Madeleine Béjart dans le rôle de Magdelon, dans « Les Précieuses ridicules », école française, XVIIᵉ siècle, peinture.*
BNF, Paris. © Lauros/Giraudon/The Bridgeman Art Library.

Page 217 : *Madame Molière (née Béjart) dans le rôle d'Elmire, dans « Le Tartuffe »*, 1667.
Bibliothèque de l'Arsenal, Paris. BIS/Ph. A.B. Coll. Archives Larbor.

Page 218 : *Charles Varlet, dit La Grange, dans le rôle de Dom Juan, dans « Dom Juan, ou Le Festin de pierre »*, 1875, gravure de Frederic Desire Hillemacher.

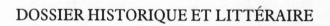

DOSSIER HISTORIQUE ET LITTÉRAIRE

SOMMAIRE

INTRODUCTION

Attiré par les parades du Pont-Neuf, Gabriel, pauvre petit orphelin parisien, se découvre une vocation de comédien grâce à plusieurs rencontres dans le monde des « amuseurs publics ». Le bateleur Beppino l'initie à la farce dans l'esprit de la *commedia dell'arte*, tandis que Molière le fait entrer dans sa troupe comme moucheur de chandelles. Le temps d'une représentation à Vaux-le-Vicomte, il côtoie avec émerveillement la cour de Louis XIV.

En mêlant la petite histoire d'un apprentissage personnel à certains épisodes de la grande Histoire (la fête de Vaux, l'arrestation de Fouquet), le roman retrace les principales péripéties d'une année clé du Grand Siècle français tant sur le plan littéraire que politique. En 1661, le roi Louis (vingt-trois ans) décide d'« exercer seul son métier de roi » ; le tournant sera tout aussi décisif pour Molière (trente-neuf ans) : la création de la comédie-ballet *Les Fâcheux* consacre son succès grandissant d'auteur-acteur face à ses rivaux de l'Hôtel de Bourgogne.

Dans le cahier suivant, le lecteur trouvera un dossier historique et littéraire qui lui permettra de se documenter sur de nombreux points évoqués dans le roman.

Repères chronologiques

1638	* Naissance de Louis, fils du roi Louis XIII et de la reine Anne d'Autriche
1643	* Mort de Louis XIII * Avènement de Louis XIV (5 ans) / Régence de sa mère, Anne d'Autriche * Ministère du cardinal de Mazarin (Italien, ambassadeur du pape et ami de Richelieu) ➡ 1661
1658	* Molière revient à Paris, sa troupe est protégée par Monsieur, frère du roi
1659	* La paix des Pyrénées met fin à la guerre avec l'Espagne * Molière remporte un succès éclatant avec *Les Précieuses ridicules*
1660	* Mariage de Louis XIV avec Marie-Thérèse d'Autriche * La troupe de Molière s'installe au Palais-Royal et donne *Sganarelle ou le Cocu imaginaire*
1661	* Mort de Mazarin / Louis XIV (23 ans) décide d'exercer seul son « métier de roi » * Molière emménage dans une belle demeure en face du Palais-Royal. Échec de la pièce *Dom Garcie de Navarre*, succès de *L'École des maris*, création des *Fâcheux* à Vaux-le-Vicomte * Arrestation de Fouquet par d'Artagnan à Nantes, le 5 septembre * Ministère de Colbert ➡ 1683 * Début des travaux à Versailles, premiers agrandissements du château de Louis XIII, premiers aménagements des jardins
1662	* Molière épouse Armande Béjart et triomphe avec *L'École des femmes*
1664	* Du 6 au 13 mai, à Versailles, Molière préside aux « Plaisirs de l'île enchantée », somptueuse fête offerte par le roi à sa nouvelle maîtresse, Mlle de La Vallière. *La Princesse d'Élide* et *Le Tartuffe*, première version en trois actes, sont joués à cette occasion. * En décembre, à l'issue d'un long procès, Fouquet est condamné au bannissement, peine que le roi Louis XIV aggrave en la commuant en détention perpétuelle dans la forteresse de Pignerol.
1673	* 17 février : mort de Molière * 25 juin : d'Artagnan meurt au siège de Maastricht pendant la guerre de Hollande.
1682	* Le roi et sa cour s'installent à Versailles.
1715	* Mort de Louis XIV (77 ans)

1661 :

LA PRISE DU POUVOIR PAR LOUIS XIV

1661 est une année importante dans l'histoire de la France. Elle marque le début d'un règne personnel de cinquante-quatre ans qui s'achèvera avec la mort de Louis XIV en 1715. Né le 5 septembre 1638, il est roi depuis la mort de son père, Louis XIII, le 14 mai 1643. Proclamé majeur en 1651 et sacré en 1654, il n'exerce cependant pas personnellement le pouvoir.

Tout commence par la mort de Mazarin, alors au sommet de sa puissance, le 9 mars 1661. Proche de la régente Anne d'Autriche dont on disait qu'il fut l'amant, ce cardinal premier ministre a gouverné pratiquement seul le royaume de France de 1643 à 1661. Il a formé et conseillé le jeune roi, son pupille et filleul, et lui recommande avant de décéder une équipe de serviteurs exceptionnels, en particulier Colbert.

Deux « coups de maître » (l'expression est de Louis XIV) marquent cette année charnière.

Le premier a l'allure d'un véritable coup d'État royal, qui signale la volonté du roi de gouverner seul. Brienne, ministre des Affaires étrangères, rapporte le 11 mars : « Le Roi avait fait assembler le jour auparavant [...] les princes, les ducs et les ministres d'État [...] pour leur faire entendre de sa propre bouche qu'il avait pris la résolution de commander lui-même son État sans s'en reposer que sur ses propres soins (ce furent ses termes) et les congédia bien honnêtement, en leur disant que, quand il aurait besoin de leurs bons avis, il les ferait appeler. »

Le second est la disgrâce de Fouquet, surintendant des Finances. Louis XIV la justifie en ces termes dans ses *Mémoires* : « La vue des vastes établissements que cet homme avait projetés, et les insolentes acquisitions qu'il avait faites, ne pouvaient que convaincre mon esprit du dérèglement de son ambition. [...] Bien loin de profiter de la bonté que je lui avais témoignée en le retenant dans mes conseils, il en avait pris une nouvelle espérance de me tromper, [...] car il ne pouvait s'empêcher de continuer ses dépenses excessives, de fortifier des places, d'orner des palais, de former des cabales, et de mettre sous le nom de ses amis des charges importantes qu'il leur achetait à mes dépens, dans l'espoir de se rendre bientôt l'arbitre souverain de l'État. [...] Je pensai qu'il était plus sûr de l'arrêter... »

Tout est prêt pour que Louis XIV devienne le Roi-Soleil.

NICOLAS FOUQUET :

GRANDEUR ET DÉCADENCE DE « L'ÉCUREUIL »

Du magnifique château de Vaux à la forteresse de Pignerol, des honneurs de la cour à la solitude glaciale du cachot, de la fonction de surintendant des Finances au statut de prisonnier politique, le destin de Nicolas Fouquet n'a cessé d'exciter la curiosité. Ses contemporains comme les historiens qui se sont penchés sur l'histoire de sa vie en donnent une image contrastée : financier corrompu et charmeur, mécène avisé, maître dans l'art de vivre, grand commis fidèle au roi, homme avide de pouvoir, dilettante... Qui était-il vraiment et pourquoi s'est-il attiré la haine tenace de Louis XIV, qui ne lui a jamais pardonné ?

Une famille ambitieuse

Comment une famille bourgeoise a-t-elle pu accéder aux plus hautes fonctions de l'État dans la France de l'Ancien Régime, où la société était très hiérarchisée et apparemment cloisonnée ? C'est ce qui est arrivé à la famille Fouquet en un siècle et demi. Pour cela, il a fallu de l'argent, bien sûr, mais aussi une vraie stratégie reposant sur la solidarité familiale et un peu de chance dont ont su jouer des héritiers mâles de qualité.

Nicolas Fouquet descend d'un **riche marchand** angevin qui vivait à la fin du XVe siècle. Comme beaucoup d'autres familles bourgeoises, les Fouquet augmentent leur fortune en épousant de riches héritières, achètent des terres qui leur permettent de s'intégrer au monde des seigneurs, éduquent soigneusement leurs enfants. Une solide formation juridique les oriente vers la **magistrature**. Le grand-père de Nicolas Fouquet, avocat, devient conseiller au parlement de Paris en 1578 ; c'est le chemin de l'accession à la noblesse de robe. Ses armoiries portent l'écureuil, animal qui ornait la boutique de son père à Angers (en patois angevin, « écureuil » se dit « fouquet »). (p. 116)

François Fouquet, père de Nicolas, orphelin de bonne heure, bénéficie de la protection de ses oncles, l'un chanoine, l'autre président au parlement de Rennes. En 1609, il siège au parlement de Paris et épouse Marie de Maupéou, fille d'un haut-fonctionnaire. Ce mariage lui apporte argent et soutien d'une belle-famille influente. Il **achète un office** de maître des requêtes qui lui permet d'accéder véritablement à la **noblesse de robe** et de se rapprocher ainsi du pouvoir royal. C'est aussi le chemin pour accéder à la fonction d'intendant, voire de ministre. Il choisit comme devise *Quo non ascendet ?* (« Jusqu'où ne montera-t-il pas ? »). Devenu **proche collaborateur du cardinal de Richelieu,** il est un serviteur zélé de la Couronne. François Fouquet et sa femme sont des chrétiens dévots qui œuvrent au renouveau catholique et dont la piété et la charité forcent l'admiration. Leurs douze enfants manifestent un attrait exceptionnel pour l'état ecclésiastique : les six filles deviennent religieuses, trois des fils entrent dans les ordres. L'aîné, proche de saint Vincent de Paul, devient évêque de Bayonne.

Nicolas, né en 1615, est le deuxième fils. D'une intelligence brillante, il fait chez les Jésuites des études qui, complétées par de solides études de droit, lui permettent de devenir avocat. En 1633, il obtient une charge de conseiller au parlement de Metz, puis, en 1635, son père lui achète un **office de maître des requêtes**. Comme son père, il est entré dans le corps des officiers, dans lequel le pouvoir royal recrute ses collaborateurs. Un riche mariage parfait l'édifice.

L'irrésistible ascension de Nicolas Fouquet

À la mort de son père en 1640, il se retrouve, à vingt-cinq ans, chef du clan familial. Sa femme meurt, lui laissant une fille, au moment où il **achète la seigneurie de Vaux, en 1641**. Contrairement à son père, il pense qu'une fortune se bâtit sur la terre et Vaux n'est que le premier de ses nombreux achats.

La France est alors en crise, ruinée par la guerre de Trente Ans, en proie à des révoltes populaires. Nicolas est nommé en 1644 intendant en Dauphiné, ce qui lui permet de connaître le mécontentement de la population face à la hausse ininterrompue des impôts. Grâce à ses talents d'orateur et à son courage personnel, il met fin à des émeutes à Valence. À l'occasion de plusieurs missions, il démontre ses qualités d'écoute, de négociation, de modération, ainsi que son courage et son sang-froid. Il devient intendant de Paris en 1648, alors que se profile le grand affrontement entre le gouvernement et le Parlement qu'on appellera **la Fronde**.

Dès le début, il se range du côté de Mazarin et de la régente Anne d'Autriche. Il est nommé intendant de l'armée royale et achète avec l'accord du pouvoir royal **la charge de procureur au Parlement de Paris** en 1650. Son remariage en 1651 avec Marie-Madeleine de Castille, issue d'une famille influente, assoit son statut social. En récompense de sa fidélité au roi pendant cette période troublée, il est nommé en **1653 surintendant des Finances**, poste qu'il partage avec le diplomate Servien.

Fouquet au pouvoir

Les finances royales, après la banqueroute de 1648, sont dans un état déplorable, le Trésor est vide. Le roi a besoin d'argent et doit emprunter. Afin de rassurer les créanciers, Fouquet s'emploie à respecter les contrats passés entre eux et le Trésor royal. Il crée et vend de nouvelles charges, émet des prêts et des rentes, à des conditions avantageuses pour ceux qui y souscrivent. Fouquet devient ainsi en même temps celui qui engage des dépenses, trouve des recettes et, avec son réseau d'amis et sa fortune personnelle, prête au roi.

La position de surintendant est au centre du système, car c'est sa signature qui permet de se faire rembourser un emprunt. Les règles de la comptabilité publique étant peu précises, Fouquet, comme ses prédécesseurs, participe au jeu financier et s'enrichit en confondant parfois argent public et argent personnel. Il ne faut pas oublier que Mazarin, aidé de Colbert, qui est alors son intendant, fait de même et accumule une fortune prodigieuse (trente-cinq millions de livres), bien supérieure à celle de Fouquet. Ce dernier rétablit la confiance car sa signature est toujours honorée et il donne en garantie ses biens propres. À la mort de Servien en 1659, il reste seul à son poste et devient après le roi et Mazarin le personnage le plus important de France.

Sa fortune est certes importante, mais ses dettes ne le sont pas moins (seize millions sur une fortune estimée à dix-huit millions). Cependant, sa position auprès de Mazarin se dégrade, Colbert critique sa politique financière et émet des soupçons sur l'origine de sa fortune. Son train de vie est considérable ; ses biens se sont accrus : des hôtels particuliers, des terres, l'île d'Yeu, Belle-Île, qu'il fortifie sans l'autorisation du roi, et surtout le **château de Vaux**. (pp. 55-58)

Fouquet et Vaux-le-Vicomte

Fouquet, qui est aussi un **protecteur des arts et des lettres**, s'entoure d'une véritable cour d'artistes et d'écrivains (Le Vau, Poussin, Le Brun, La Fontaine, Molière, Corneille, Charles Perrault, Scarron, Mme de Scudéry, Mme de Sévigné et bien d'autres) qui bénéficient souvent de son mécénat. « Chacun sait que ce grand ministre n'est pas moins le surintendant des belles lettres que des finances ; que sa maison est aussi ouverte aux gens d'esprit qu'aux gens d'affaires », écrit Pierre Corneille en 1659.

Vaux est d'abord un jardin avant d'être un château. Un grand parterre, une charmille, un potager, un verger y sont plantés, les aménagements s'amplifient et, en 1652, on parle des superbes jardins de Vaux. Avec la charge de surintendant, les moyens de Fouquet augmentent considérablement ; il peut alors donner toute son ampleur au projet : ce sera un château de plaisance entouré d'un vaste jardin d'agrément. L'ancien château est rasé ainsi que le village de Vaux et deux hameaux, des travaux d'adduction d'eau sont réalisés.

La construction commence en 1656. Fouquet fait appel à trois hommes : **l'architecte Le Vau, le peintre décorateur Le Brun, le jardinier paysagiste Le Nôtre.** Le rythme des travaux est rapide, Fouquet acceptant tous les dépassements financiers. Un an est nécessaire pour le gros œuvre, trois ans pour rendre le château habitable. Ce dernier est construit sur une plate-forme entourée de fossés emplis d'eau, formant ainsi un socle surélevé par rapport aux jardins. (p. 103) L'édifice, en pierre de taille, comprend côté jardin une rotonde centrale couronnée d'une coupole à lanternes. L'innovation consiste à organiser au rez-de-chaussée, devenu l'étage noble, toutes les pièces autour du vestibule d'entrée et du grand salon, correspondant à la rotonde centrale. De part et d'autre sont installés les appartements du roi, que toute maison noble se doit d'avoir, et ceux du maître de maison. Ils comportent une antichambre, une chambre et un cabinet. Ce sont les pièces de réception. Le premier jardin « à la française » est ainsi décrit dans le roman *Clélie, histoire romaine* de Mme de Scudéry : « L'on découvre de cet endroit une si grande et vaste étendue de différents parterres, tant de grandes et belles allées, tant de fontaines jaillissantes, et tant de beaux objets qui se confondent par leur éloignement qu'on ne sait presque ce que l'on voit. » La décoration intérieure, confiée à Le Brun, commence en 1658 ; un atelier de tapisserie est créé dans un village voisin, à Maincy (après la chute de Fouquet, il sera transféré à Paris et deviendra la Manufacture royale des Gobelins).

Cinq ans durant, la présence à certains moments de près de vingt mille ouvriers, la volonté d'un propriétaire aux choix sûrs, des moyens financiers considérables ont permis la construction d'un chef-d'œuvre qui établit un rapport nouveau entre architecture, décor et jardin. Dès juillet 1659, le roi vient à Vaux. Il y revient l'année suivante avec sa toute récente épouse, l'infante Marie-Thérèse. Louis XIV voudra surpasser cet exemple à Versailles et y fera venir pour ce faire les artistes qui ont contribué à la construction de Vaux.

1661, l'année décisive

Le 9 mars, **Mazarin, premier ministre, meurt**. Fouquet s'attend à lui succéder, mais **Louis XIV se méfie d'un ministre jugé trop ambitieux** et il est bien décidé à mettre en pratique la monarchie absolue de droit divin. Dans ses *Mémoires*, il explique à son fils pourquoi **il a fait le choix de gouverner seul** : « Toute puissance, toute autorité résident dans la main du roi et il ne peut en être

d'autre dans le royaume que celle qu'il y établit...
Quant aux personnes qui devaient seconder mon
travail, je résolus sur toutes choses de ne point
prendre de premier ministre [...]. Pour cela il était
nécessaire de partager ma confiance et l'exécution
de mes ordres, sans la donner tout entière à pas un,
appliquant ces diverses personnes à diverses choses
selon leurs divers talents. » Alors que l'origine de
l'immense fortune de Mazarin reste dans l'ombre,
Colbert, qui hait Fouquet et ambitionne de prendre
sa place, n'hésite pas à accabler le surintendant, le
rendant responsable de l'état calamiteux des
finances royales. (pp. 51-54)

Fouquet reçoit la cour à Vaux au mois de juillet,
mais le roi n'assiste pas à la fête. C'est à cette occasion que Molière et sa troupe jouent *L'École des
maris* devant la reine d'Angleterre et sa fille, épouse
de Monsieur, frère du roi. Louis XIV souhaite voir
les derniers aménagements du château dont toute
la cour parle. Fouquet s'empresse de satisfaire ce
désir royal. Le **17 août 1661, il offre,** en l'honneur
de Louis XIV et de sa cour, une fête fastueuse à
Vaux-le-Vicomte. (Chapitre VI) Après une promenade dans les jardins, où se succèdent dans une
perspective inédite terrasses, parterres de fleurs,
grottes et cascades, et où les fontaines et les jeux
d'eau rafraîchissent la compagnie, on revient au
château pour la collation préparée par Vatel, le
maître d'hôtel. La réception est somptueuse :
quatre-vingts tables, trente buffets sont dressés,

la table du roi est garnie d'un service en or massif.
Après le repas, des divertissements ont lieu dans
les jardins : concerts de musique, joutes sur l'eau,
loteries. À la lisière des bois, Molière et sa troupe
jouent *Les Fâcheux*, une comédie-ballet. La soirée
s'achève par un feu d'artifice avec en point d'orgue
des milliers de fusées qui illuminent le dôme du
château.

Dans sa gazette en vers, *La Muse historique*, Jean
Loret écrit le 20 août :

> « Les fontaines et les canaux,
> Les parterres, les balustrades,
> Les rigoles, jets d'eau, cascades,
> Au nombre de plus d'onze cents,
> Charment et ravissent les sens
> [...]

> Une comédie,
> Que Molière, d'un esprit pointu,
> Avait composée, *in promptu*,
> D'une manière assez exquise,
> Et sa troupe en trois jours apprise
> [...]

> Je criais trente fois miracle,
> Ayant devant moi pour spectacle
> [...]
> Un embrasement imprévu
> [...]

C'est ainsi que cet homme sage,
Que cet illustre personnage
Capable du plus haut emploi
Festoya son Maître et son Roi,
N'épargnant ni soin ni dépense
Pour monter sa magnificence
[...] »

Louis XIV est humilié par cet étalage de richesses, de démesure et d'ambition ; cela le renforce dans sa décision d'éliminer Fouquet. Mal conseillé ou inconscient du danger, Fouquet vient de vendre sa charge de procureur général au parlement de Paris, qui lui permettait d'être jugé par une juridiction normale. Il rejoint le roi à Nantes, où se tiennent les états de Bretagne. **Le 5 septembre, Fouquet, accusé de vol de deniers publics et de lèse-majesté, est arrêté sur ordre du roi par d'Artagnan.** (p. 165)

Le procès et la sentence

Dès l'arrestation de Fouquet, tous ses biens sont confisqués. Un tribunal spécial est constitué, avec des juges choisis pour leur docilité. Colbert, qui a maintenant rang de ministre, participe aux perquisitions menées dans les différentes résidences de Fouquet, et n'hésite pas à falsifier des documents.

Le procès s'enlise, Fouquet se défend, conteste ses juges, reçoit le soutien d'amis comme La Fontaine ou Mme de Sévigné. L'opinion publique, d'abord défavorable à Fouquet, évolue peu à peu face à l'acharnement du pouvoir : Fouquet devient une victime de l'absolutisme.

Alors que le roi réclame sa mort, Fouquet est condamné au bannissement perpétuel et à la confiscation de ses biens le 20 décembre 1664. Usant de son pouvoir, Louis XIV aggrave la peine en la commuant en **détention perpétuelle.**

Pignerol

Flanqué de D'Artagnan et sous l'escorte de cent mousquetaires, Fouquet quitte Paris et, en trois semaines, gagne la forteresse de Pignerol, en pays piémontais. (pp. 198-200) Saint-Mars devient le geôlier du prisonnier enfermé dans le donjon. Fouquet obtient de garder deux valets, mais **il ne peut communiquer de quelque manière que ce soit avec le monde extérieur :** aucune visite, aucune promenade dans l'enceinte de la forteresse ne sont autorisées, encre et papier lui sont interdits. Seul un prêtre peut, aux grandes fêtes, lui apporter le secours de la religion. Fouquet est ainsi « enterré vivant ».

Il faut attendre 1672 pour que Mme Fouquet puisse écrire à son mari, autorisé à lui répondre. Le rythme des lettres s'accélère et la famille Fouquet rend visite au prisonnier en 1679 ; elle espère une libération prochaine, mais **Fouquet meurt subitement en mars 1680.**

Fouquet n'était pas le premier, et il ne sera pas le dernier, à confondre ses deniers et les caisses du Trésor royal. Colbert, qui a tant contribué à sa chute en dénonçant ses acrobaties financières, n'en a pas moins utilisé les mêmes moyens pour renflouer les caisses du roi sans s'oublier au passage. Alors comment expliquer la rancune tenace du jeune Louis XIV envers celui qui avait contribué à sauver la monarchie au temps de la Fronde ? Fouquet n'a pas pris conscience de la volonté de ce roi de vingt-trois ans de gouverner seul et sans contrôle, en monarque absolu. Fouquet est de plus soupçonné d'avoir fait des avances à Mlle de La Vallière, maîtresse du roi. (pp. 59-62 et 118-119) Ce détail intime autant que sa puissance, sa richesse, son goût des arts alimentent la jalousie royale. Sa disgrâce et sa lourde condamnation sont des signes forts envoyés à une noblesse encore prompte à relever la tête et qu'il convient de domestiquer au service de la monarchie. Cela sera fait à Versailles.

LA VÉRIDIQUE HISTOIRE DE
CHARLES DE BATZ-CASTELMORE
(OU DE MONTESQUIOU),
DIT D'ARTAGNAN

Si l'énoncé du nom de D'Artagnan évoque à tout lecteur, dans le désordre, trois mousquetaires qui en sont quatre, Richelieu, Louis XIII, la reine Anne d'Autriche, les ferrets de la reine, Milady, les gardes du cardinal, le duc de Buckingham, Constance, mais aussi Mazarin, la Fronde, Louis XIV, Fouquet, l'Homme au masque de fer, c'est qu'Alexandre Dumas père en a fait le personnage principal de sa trilogie : *Les Trois Mousquetaires*, *Vingt ans après* et *Le Vicomte de Bragelonne*. L'auteur s'est inspiré d'un ouvrage paru en 1700, soit près de trente ans après la mort de notre héros, intitulé *Mémoires de Monsieur d'Artagnan* et écrit par Gatien Courtilz de Sandras. Or, bien des faits relatés dans ces Mémoires ne résistent pas à un examen sérieux. Entre l'imagination du romancier et la vérité historique – car l'illustre Gascon a bel et bien existé –, que devons-nous retenir ?

Enfance

Tout commence au château de Castelmore, près de Lupiac, en Gascogne, où naît à une date imprécise, entre 1610 et 1620 (les archives paroissiales ayant disparu pour la période allant de 1602 à 1680), dans une famille de petite noblesse, Charles de Batz-Castelmore. La famille de son père est peu fortunée, mais sa mère, fille du seigneur de D'Artagnan en Bigorre, est apparentée aux Montesquiou, qui ont leurs entrées à la cour. Le destin du jeune Gascon est vite tracé : s'il veut atteindre la gloire et la fortune, il doit rejoindre les armées du roi.

Il arrive à Paris après 1635, certainement muni, à l'image de beaucoup de ces petits nobles désargentés, de lettres de recommandation pour des gens proches de la cour, en relation avec la famille de Montesquiou. Il adopte le nom de D'Artagnan.

Ses premières armes

Il sert comme cadet dans le régiment des gardes-françaises, où il retrouve beaucoup de jeunes Gascons et participe à de nombreuses opérations militaires entre 1640 et 1644, d'abord en Flandre et en Lorraine (sièges d'Arras, d'Aire-sur-la-Lys, de Bapaume), puis lors de la campagne du Roussillon.

En 1646, une correspondance révèle qu'il est entré au service de Mazarin. Alors que la guerre avec les Habsbourg s'éternise, les grands seigneurs du royaume et le Parlement de Paris profitent de la minorité de Louis XIV (il n'a que cinq ans à la mort de son père en 1643) et de la régence d'Anne d'Autriche pour se rebeller contre l'autorité de la reine et de son ministre : c'est, à partir de 1648, le début de la Fronde parlementaire, suivie de la Fronde des princes.

D'Artagnan, qui a la confiance de Mazarin, est chargé de plusieurs missions importantes auprès des chefs des armées et sert d'agent de liaison pendant l'exil du premier ministre. En récompense, il devient lieutenant puis acquiert, avec l'aide financière de fidèles de Mazarin, la charge de capitaine des gardes-françaises en 1655.

D'Artagnan mousquetaire

En 1657, la compagnie des mousquetaires est rétablie ; le roi en est, de manière formelle, le capitaine et M. de Mancini, neveu de Mazarin, le lieutenant. Mais, ce dernier s'en désintéressant, c'est le sous-lieutenant qui, en réalité, doit en assurer le commandement. D'Artagnan est nommé à ce poste en 1658. Cette compagnie de cent cinquante hommes est une unité de prestige, habillée d'une casaque bleue ornée d'une croix d'argent, coiffée d'un feutre au large panache et montée sur des chevaux gris. Elle est armée de mousquets – armes à feu portatives –, d'où son nom. Elle forme l'escorte principale du roi et l'accompagne dans tous ses déplacements. (p. 99)

D'Artagnan occupe ainsi un poste enviable : proche du roi, il entre en relation avec les plus grandes familles du royaume. Mme de Sévigné l'évoque dans ses lettres et en parle avec amitié. Il lui faut songer à se marier. C'est chose faite en 1659, avec une riche veuve, Charlotte de Chancely. Preuve de son ascension sociale, le contrat de mariage est paraphé par Louis XIV et Mazarin. Malgré la naissance de deux garçons, le mariage n'est pas heureux et la séparation rapide.

On peut imaginer que c'est avec beaucoup de fierté qu'il retrouve son pays natal, lorsqu'il accompagne le roi Louis XIV, qui part épouser Marie-Thérèse d'Autriche, infante d'Espagne, à Saint-Jean-de-Luz en 1660.

D'Artagnan et Fouquet

En 1661, Mazarin meurt, le roi décide de ne plus prendre de premier ministre et de gouverner seul. Il se méfie cependant du plus puissant de ses ministres, Nicolas Fouquet, surintendant des Finances, qu'il accuse bientôt de vol de deniers publics. D'Artagnan, qui pourtant entretient des relations amicales avec ce dernier, est chargé de la mission délicate de l'arrêter. En parfait gentilhomme, digne de la confiance du roi, il accomplit la tâche qui lui est confiée, le 5 septembre 1661. (p. 165)

Pendant près de quatre ans, d'Artagnan va occuper la position de geôlier. Il accompagne son prestigieux prisonnier dans divers lieux d'incarcération : Angers, Amboise, Vincennes, puis la Bastille. Fouquet est finalement condamné en décembre 1664 à l'exil, peine que le roi commue en prison à perpétuité. D'Artagnan est chargé de le conduire à la forteresse de Pignerol, où il le confie à la garde d'un de ses anciens officiers qu'il a recommandé au roi, M. de Saint-Mars. Il s'acquitte de cette mission avec suffisamment de délicatesse pour que la famille et les amis de Fouquet soulignent sa courtoisie. Mme de Sévigné, dans deux lettres adressées à M. de Pompone, écrit le 25 décembre 1664 : « M. d'Artagnan est sa seule consolation pendant le voyage » et le 30 décembre : « On a su seulement que M. d'Artagnan continuant ses manières obligeantes lui a donné toutes les fournitures nécessaires pour passer les montagnes sans incommodités. » (pp. 198-200) Il peut enfin reprendre du service et participer aux campagnes militaires.

Les dernières années

Fort de la confiance et de la reconnaissance du roi, il connaît une belle ascension. En 1667, il obtient la charge prestigieuse de capitaine des mousquetaires, qui s'accompagne de solides revenus financiers. On lui donne le titre de comte. Il participe aux combats qui se déroulent en Flandre et se soldent par la prise de Lille, puis en Franche-Comté. En 1672, il est nommé gouverneur de Lille, une des places les plus importantes du royaume, et maréchal de camp. Il est arrivé au sommet des honneurs militaires.

La guerre reprend avec les Provinces-Unies et c'est à Maastricht que sa carrière va s'achever. Le 25 juin 1673, à la tête de quelques mousquetaires, il doit reprendre une position clé défendue avec acharnement. L'assaut est victorieux, mais d'Artagnan est tué. Le roi loue les mérites de celui qui s'est toujours montré fidèle et fait célébrer en son honneur un office funèbre dans sa chapelle.

Bien que prestigieuse et aventureuse, la véritable histoire de D'Artagnan paraît bien terne en regard des exploits romanesques du fringant mousquetaire né sous la plume d'Alexandre Dumas. Grâce à ce dernier, notre vaillant Gascon a acquis une dimension héroïque que beaucoup d'autres serviteurs du roi lui auraient enviée.

LE MÉTIER D'AMUSEUR PUBLIC
À PARIS AU XVIIe SIÈCLE

À Paris, dans la première moitié du XVIIe siècle, plusieurs sortes de comédiens exercent le métier d'« amuseur public », dans divers lieux de la capitale. La concurrence est forte, car tous usent des mêmes recettes pour faire rire : les bateleurs du Pont-Neuf, les Italiens de la *commedia dell'arte*, les farceurs et comédiens de l'Hôtel de Bourgogne. Leur jeu a beaucoup de succès auprès du peuple, qui ne partage pas les goûts raffinés de la noblesse. Sans doute le petit Jean-Baptiste Poquelin a-t-il eu l'occasion de les rencontrer : devenu Molière, il saura se souvenir de leurs leçons.

Les parades du Pont-Neuf

La tradition des foires annuelles à Paris est très ancienne. Parmi les plus célèbres, la foire Saint-Germain, de février à la semaine de la Passion, fondée en 1176 autour de l'abbaye de Saint Germain-des-Prés, et la foire Saint-Laurent, de juillet à septembre, installée depuis le milieu du XIVe siècle sur l'emplacement de l'actuelle gare de l'Est.

Le Pont-Neuf est aujourd'hui le plus ancien pont de Paris. Sa construction était déjà envisagée par le roi Henri II en 1556. Henri IV fit reprendre les travaux en 1599. Le pont ne fut terminé qu'en 1607 grâce à une taxe sur les vins qui fut maintenue bien après l'ouverture du pont. Dès lors, il fut particulièrement réputé pour ses parades, ainsi que la place Dauphine toute proche : édifiée à partir de 1607, elle fut baptisée ainsi en l'honneur du futur Louis XIII..

Les badauds sont attirés en grand nombre par les parades montées sur des tréteaux improvisés : ils viennnent applaudir des bateleurs renommés qui font la « réclame » (c'est l'ancêtre de la publicité) pour des médecins ambulants, qu'on appelle « empiriques ». Installés devant des baraques de foire, ces bonimenteurs sont payés pour faire les pitres et vanter les effets de « drogues » supposées tout soigner. C'est le cas de cette poudre miracle (un genre de poudre de perlimpinpin) inventée par un charlatan italien originaire d'Orvieto, que colportent à travers toute l'Europe les « marchands d'orviétan » (p. 17-20). Dans ces véritables spectacles de plein air, les camelots se font comédiens, danseurs de corde et musiciens pour vendre la marchandise.

C'est ce monde très animé que découvre le jeune Gabriel sur le Pont-Neuf (p. 12–28).

Les terrasses en demi-lune qui reposent sur chaque pile du Pont-Neuf accueillent des boutiques en plein vent, des arracheurs de dents, des farceurs comme Tabarin, le bouffe italien Pantalon, le bateleur Scarlatini, premier de tous les charlatans : toute une foule colorée et bruyante qui guette les clients, sans compter les « pickpockets » à l'affût des bourses faciles. Un certain Berthod témoigne, en 1660 :

> « Pont-Neuf, ordinaire théâtre
> Des vendeurs d'onguent et d'emplâtre,
> Séjour des arracheurs de dents,
> Des fripiers, libraires pédants,
> Des chanteurs de chansons nouvelles,
> D'entremetteurs, de demoiselles,
> De coupe-bourse, d'argotiers,
> De maîtres de sales métiers... »

Vers 1619, une véritable vedette s'est imposée sur le Pont-Neuf : Antoine Girard (1584-1633), dit Tabarin, qui porte le nom d'un masque de la comédie italienne. Son origine est mystérieuse. Est-il français comme le laisse supposer son identité officielle ? Napolitain comme l'indique son nom de farce ? Associé à un certain Monsieur de

Mondor, médecin ambulant, vendeur de baumes et d'élixirs, il attire les chalands au son d'une viole et d'un rebec, ancêtres du violon moderne.

Vêtu d'un grand manteau de laine épaisse dont il ramasse les plis sur l'épaule, d'une casaque de grosse toile blanche sur un pantalon large, il porte un masque sur une tête allongée et des cheveux hérissés. Il a aussi un extravagant feutre gris à plume verte : ce chapeau « lunatique et fantasque » qu'il transforme à son gré a fait sa célébrité. Il échange des propos souvent très grossiers avec son compère Maître Mondor, qui joue les pédants distingués, parlant le grec et le latin.

De quelques accessoires très simples, Tabarin tire de prodigieux « gags » ; le clou de ses spectacles improvisés, qui tiennent à la fois du cirque, du music-hall et du café-théâtre, est la fameuse scène des coups de bâton administrés au pauvre sot qui s'est laissé enfermer dans un sac, selon une tradition qui remonte aux fabliaux du Moyen Âge.

Le petit Jean-Baptiste Poquelin, peut-être conduit sur le Pont-Neuf par son grand-père maternel, Cressé (p. 44), découvre là un moyen très efficace de faire rire le public : il le mettra en application dès 1661 dans sa farce intitulée *Gorgibus dans le sac*, aujourd'hui perdue, où il se mettait lui-même en scène. C'est ce même gag qui fera le succès des *Fourberies de Scapin* (1671), lorsque l'astucieux valet Scapin fait entrer le vieux Géronte dans un sac pour le rouer de coups de bâton (Acte III, scène 2).

C'est aussi sur le Pont-Neuf que se constitue un trio de farceurs devenus rapidement très célèbres : Henri Legrand (1587-1637), sieur de Belleville, qui remporte un vif succès en jouant pour le compte d'un « empirique » le Turlupin de la *commedia dell'arte*, associé à deux comédiens de la troupe nomade de Valleran-Lecomte, Robert Guérin (1554-1634), dit La Fleur, ou Gros-Guillaume pour la farce, et Hugues Guéru (1573-1634), devenu Gautier-Garguille. Leur numéro à trois connaît un tel succès qu'ils entrent à l'Hôtel de Bourgogne en 1622 (pp. 260 et 271) ; Guérin en deviendra même le directeur.

Les Italiens et la *commedia dell'arte*

C'est d'Italie que vient le renouveau d'un théâtre aux sources très populaires. La première troupe d'acteurs professionnels apparaît à Mantoue en 1545. Dès 1567, les comédiens que l'on appelle désormais « de l'art » (*dell'arte*) abandonnent le texte imposé du théâtre classique pour improviser sur un simple canevas en utilisant surtout le geste et la mimique comme langage scénique. Masqués (en fait, il s'agit d'un demi-masque stylisé, en cuir, qui ne cache que le haut du visage), ils mettent au point un jeu très physique, alerte et expressif : en virtuoses de la farce, ils sont capables de combler les vides de l'action par tout un répertoire de maximes, de coq-à-l'âne, de *lazzi* (jeux de mots) et de tirades soigneusement élaborées qu'il ne reste plus qu'à placer au bon moment, un peu comme dans les gags modernes.

Dès 1571, des troupes itinérantes de comédiens italiens viennent à Paris. Leurs textes, aussi simples que conventionnels, toujours joués dans la langue originale, sont remplis de grivoiseries, de satires politiques et de parodies, mêlées d'attaques contre la police, la justice, l'Académie, qui font la joie du public, mais aussi l'inquiétude des autorités. Aux tournées occasionnelles sollicitées par les rois Charles IX, Henri IV et Louis XIII, et surtout par les reines florentines, Catherine et Marie de Médicis, succèdent l'installation permanente des Italiens dans la capitale et la naissance du seul théâtre fixe que les « comédiens de l'art » aient connu, la Comédie-Italienne, qui entre bientôt en concurrence avec les « Comédiens français ».

En 1639 apparaît une nouvelle troupe dirigée par Tiberio Fiorelli, plus connu sous le nom de Scaramouche. Ses représentations sont interrompues par les troubles civils de la Fronde. Mais la troupe ne tarde pas à revenir à Paris, où elle s'installe en 1653 au théâtre du Petit-Bourbon, qu'elle partage avec la troupe de Molière à partir de 1658. Dès lors, leurs spectacles font l'actualité théâtrale à Paris.

La troupe de Fiorelli suit Molière lorsqu'il s'installe au Palais-Royal en 1661 ; ainsi, Français et Italiens, pensionnés par le roi, continuent à donner des représentations en alternance et à partager le loyer de la salle, chaque troupe ayant son matériel et ses décors distincts.

Les farceurs français

Dès le début du XVIIe siècle, les Italiens se sont donc installés périodiquement dans les salles parisiennes : après s'être bien fait applaudir à la cour, ils sont venus en particulier occuper l'Hôtel de Bourgogne, berceau du théâtre dans la capitale, où la dynastie Andreini (père et fils) rivalise pendant vingt-cinq ans avec les Comédiens français. La concurrence est tantôt amicale – ainsi, Français et Italiens jouent ensemble dans un divertissement donné par le cardinal Mazarin en mai 1659 –, tantôt féroce pour gagner les faveurs d'un public populaire. En effet, avant de se spécialiser dans la tragédie à l'époque de Molière et de Racine, la troupe française de l'Hôtel de Bourgogne, devenue « royale » selon le privilège accordé par Louis XIII, joue d'abord la farce à l'italienne : Bruscambille et le célèbre trio venu du Pont-Neuf, Turlupin, Gros-Guillaume, Gautier-Garguille (voir ci-dessus), sont de véritables pitres à la façon des acteurs de la *commedia dell'arte*.

Après huit années de succès, où il tient tête aux Italiens sur leur propre terrain, le trio comique s'illustre dans la tragi-comédie et même la tragédie sous les noms de Belleville (Turlupin), La Fleur (Gros-Guillaume) et Fléchelles (Gautier-Garguille). En effet, dès 1630, avec Bellerose puis Montfleury, qui devient l'interprète favori de Racine, l'Hôtel de Bourgogne abandonne peu à peu la farce pour la préciosité et la noblesse tragique afin de séduire un public qui se pique d'être plus cultivé (p. 271).

Après la disparition du trio, c'est l'acteur Julien Bedeau (1590-1660) qui, sous le pseudonyme de Jodelet, domine la comédie. Comme ses prédécesseurs, il a débuté dans la farce, entre 1610 et 1620, s'est illustré au Théâtre du Marais et à l'Hôtel de Bourgogne, avant d'entrer dans la troupe de Molière en avril 1659. Le 18 novembre de cette même année, il tient le rôle du Vicomte de Jodelet, valet de Du Croisy, aux côtés de Molière lui-même, en Marquis de Mascarille, valet de La Grange, dans *Les Précieuses ridicules*, cette comédie satirique que les grincheux jaloux du succès de leur auteur voudraient bien rabaisser au rang de simple farce.

Visage pâle et hilare, voix nasillarde, Jodelet a acquis la réputation de déclencher le rire en parlant le charabia d'un ivrogne grossier. À son tour, il s'est identifié à un véritable type littéraire : le valet lâche, vantard, goinfre et bouffon, pour lequel Scarron a écrit des pièces sur mesure, comme *Jodelet ou le maître valet* (1643), une pièce que Molière reprendra après la mort de Jodelet, avec Gros-René dans son rôle.

L'inspiration comique de Molière

L'apport de la farce et de la *commedia dell'arte* conjuguées est considérable dans l'ensemble de l'œuvre de Molière. Dès le début de sa carrière, le jeune Jean-Baptiste Poquelin a eu l'occasion d'assister à des représentations de troupes françaises et italiennes à l'Hôtel de Bourgogne : il reprend le canevas des pièces improvisées de leur répertoire, comme dans *La Jalousie du Barbouillé* (vers 1646) ou *Le Médecin volant* (vers 1647). Cette influence grandit encore lorsqu'en 1658 il s'installe à Paris et partage la salle du Petit-Bourbon puis celle du Palais-Royal avec la troupe de Tiberio Fiorelli, dont il étudie longuement les techniques de jeu. « Les deux troupes entretenaient d'amicales relations – il y eut même des mariages franco-italiens – et Molière, excellent acteur comique, leur doit beaucoup. Ses ennemis et ses rivaux croyaient l'accabler en le traitant d'héritier des farceurs et d'élève de Scaramouche, mais lui savait bien que, si les Italiens connaissaient de beaux succès, c'est que le démon du théâtre les possédait et que, pour le jeu comique du moins, ils étaient les maîtres » (George Mongrédien, *La Vie quotidienne des comédiens au temps de Molière*, Hachette, Paris, 1966).

Molière a toujours reconnu sa dette envers le Napolitain Tiberio Fiorelli (1608-1694), consacré « prince des comédiens et comédien des princes », qu'il a sans doute rencontré dès 1640. Théophile Gautier lui empruntera bien des traits de son Capitaine Fracasse (*Le Capitaine Fracasse*, 1863).

UNE SCÈNE DE FARCE
À L'HÔTEL DE BOURGOGNE

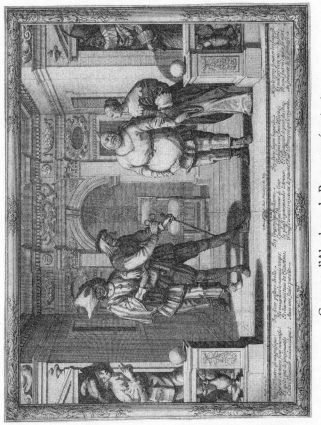

Gravure d'Abraham de Bosse représentant
l'Hôtel de Bourgogne vers 1633-1634. (Bibliothèque nationale de France.)

On reconnaît sur cette estampe les trois farceurs les plus populaires de l'époque (voir pp. 257, 260 et 271), qui déchaînaient les rires du public à l'Hôtel de Bourgogne alors la plus importante scène théâtrale parisienne. Turlupin est en train de voler discrètement Gautier-Garguille, tandis qu'une femme parle avec Gros-Guillaume.

Le nom de scène des compères est mentionné dans le quatrain, mais leur costume et leur allure suffisent à les identifier. Gros-Guillaume souligne l'énormité de son ventre par une double ceinture qu'il bride en haut et en bas. Il apparaît toujours sur scène le visage blanchi de farine (la légende dit que l'acteur avait d'abord exercé la profession de boulanger). Turlupin est physiquement tout le contraire de Gros-Guillaume : bel homme, il est le prototype des valets dont Molière, quelques années plus tard, soulignera la fourberie (dans *Les Fourberies de Scapin*, par exemple). Grand et maigre, Gautier-Garguille porte son costume et ses accessoires de scène habituels : il couvre son visage d'un masque à chevelure grise et barbe pointue ; les lunettes qu'il tient à la main surmontent la plupart du temps un énorme nez en carton.

LE SIÈCLE D'OR DU THÉÂTRE FRANÇAIS

Le siècle de Louis XIV est considéré comme le « siècle d'or » du théâtre français. Le roi adore toutes les formes de spectacle, la musique et la danse : alors qu'il vient de créer l'Académie royale de danse (mars 1661), il participe lui-même au *Ballet des sept planètes*, de Lully, où il apparaît dans la flamboyante splendeur du Soleil.

Le théâtre joue un rôle de premier plan dans la vie culturelle du siècle dit « classique ». Les « grands » – à commencer par le roi – sont les commanditaires des pièces aussi bien que les protecteurs des auteurs et des troupes. Les nobles recherchent les représentations, où ils aiment à se montrer, tandis que les bourgeois et le « petit peuple » apprécient les divertissements de la farce. Les différentes troupes se livrent une concurrence féroce : il faut séduire le public à tout prix pour faire face aux dépenses et payer les auteurs, qui commencent à toucher une partie des recettes à partir des années 1650.

De nombreuses représentations privées s'ajoutent aux spectacles publics : il est de bon ton d'aimer le théâtre, de patronner une troupe et de posséder sa propre scène, où l'on offre des spectacles à ses amis (voir Fouquet, pp. 238 et 241-242).

Le public et la représentation

Le théâtre est avant tout un art populaire : le public n'a pas besoin d'être cultivé, ni de savoir lire et écrire, pour pouvoir l'apprécier.

La fréquence des représentations augmente rapidement. Vers 1660, on joue trois fois par semaine : le vendredi, réservé aux premières, le dimanche et le mardi. L'heure des représentations devient aussi de plus en plus tardive : on commence en principe à deux heures de l'après-midi pour terminer vers cinq ou six heures du soir ; puis, de retard en retard, souvent bien au-delà (cinq heures du soir au début du XVIIIe siècle), parfois même après les vêpres ; cependant, on ignore encore les soirées.

Le spectacle se compose souvent de deux pièces : une comédie en un ou trois actes et une tragédie, ou bien une comédie en cinq actes. Primitivement annoncé par une sorte de parade au son du tambour, il est présenté sur des affiches de couleurs variées, rédigées en termes pompeux ; jusqu'en 1625, elles oublient seulement de nommer les auteurs ! Mais la « réclame » est essentiellement assurée par l'orateur de la troupe : dans la salle même, il harangue les spectateurs pour le prochain spectacle ou présente la pièce et les acteurs dans un prologue à la représentation du jour. C'est une tâche qui exige autorité, finesse et humour : elle fut le privilège de Bellerose et Floridor à l'Hôtel de Bourgogne, de Mondory au Marais, de Molière et de La Grange au Palais-Royal. L'entrée de la salle est surveillée par un portier qui a pour mission de refouler les mauvais payeurs : cela ne va pas sans disputes et batailles parfois sanglantes !

Les salles sont longues et étroites ; ce n'est qu'en 1689 qu'est construit un théâtre « moderne » en demi-cercle. La scène, très réduite, a la forme d'un entonnoir. Elle est éclairée par des chandelles de cire, d'abord fixées au mur derrière les acteurs, puis alignées sur le bord de la scène (la rampe), ainsi que par deux lustres que l'on fait monter au début de la représentation. L'entretien des chandelles exige des pauses : il faut en effet les « moucher » régulièrement entre chaque acte si l'on ne veut pas enfumer la salle ! C'est pour effectuer cette tâche que Molière a engagé Gabriel, le héros de notre roman.

La mise en scène demeure élémentaire. Une toile peinte suggère un décor unique, stéréotypé. Pour les tragédies, le registre des décorateurs mentionne presque invariablement : « le théâtre est un palais à volonté » ; pour les comédies, « une place de ville » ou « un intérieur bourgeois stylisé ».

Quant aux costumes, les acteurs mettent un point d'honneur à afficher une garde-robe fastueuse, sans aucun souci de réalisme ou de « couleur locale ». Pour la comédie, on porte le costume de ville, ce qui permet aux amateurs de théâtre de se montrer généreux à bon compte en offrant à la troupe les vêtements qu'ils ne veulent plus porter ! Pour la tragédie, c'est le costume « à la romaine » qui est à l'honneur : chapeau à plume ou casque empanaché, cuirasse et brodequins ; on porte aussi le costume « à l'espagnole » ou « à la turque » avec turban.

Le public s'installe selon une répartition codifiée : nobles et grands bourgeois occupent les galeries qui forment un ovale autour de la scène, les loges étant traditionnellement réservées aux femmes du « bel air » ; la petite bourgeoisie prend place sur des gradins disposés en amphithéâtre ; au centre, le « petit peuple » investit le parterre, parfois séparé de la scène par une grille. Les places y sont bon marché (quinze sous ; les gradins sont à vingt sous ; les prix doublent pour les premières représentations) et occupées exclusivement par des hommes, debout jusqu'en 1782.

Venue d'Angleterre, s'introduit en 1656 la coutume de réserver de chaque côté de la scène un certain nombre de sièges ou « banquettes » aux spectateurs élégants aussi soucieux de voir que d'être vus : les petits marquis semblables à ceux que ridiculise Molière dans *Les Fâcheux* (1661) peuvent ainsi manifester aux yeux de tous leur enthousiasme ou leur désapprobation. Une pratique qui se maintiendra jusqu'en 1760, même si ce dispositif de sièges complique grandement les déplacements des acteurs !

> Molière trace le portrait d'un fâcheux redoutable, celui qui sévit dans les salles de théâtre et perturbe le spectacle par son sans-gêne :
> « Mais l'homme pour s'asseoir a fait nouveau
> [fracas,
> Et traversant encor le théâtre à grands pas,
> Bien que dans les côtés il pût être à son aise,
> Au milieu du devant il a planté sa chaise,
> Et de son large dos morguant les spectateurs,
> Aux trois quarts du parterre a caché les
> [acteurs. »
> *Les Fâcheux*, acte I, scène 1, vers 29-34

De façon générale, on est loin du silence religieux qui s'impose de nos jours au théâtre : les spectateurs sont très bruyants et agités. Ils n'hésitent pas à perturber la représentation en allant et venant, en discutant et se disputant, en apostrophant ou en injuriant les acteurs, voire en interrompant la pièce.

Les salles et les troupes

Au fil des années, cinq théâtres officiels vont fonctionner dans un Paris qui compte environ cinq cent mille habitants : l'Hôtel de Bourgogne, le Théâtre du Marais, le Petit-Bourbon, le Palais-Royal et l'Opéra, tandis que les salles des jeux de paume accueillent les représentations occasionnelles des troupes itinérantes.

☞ du théâtre de foire à l'Hôtel de Bourgogne

Tandis que foires et parades attirent les badauds (voir « Le métier d'amuseur public », p. 253), des « compagnies » commencent à s'organiser à Paris, avec une dizaine de comédiens, un portier, un décorateur, parfois un poète payé aux gages (encore considéré comme un luxe ou comme une bouche inutile, puisqu'il existe tant de canevas tout faits à jouer sans droits d'auteur à payer !). Plus proches de la misère que de la gloire, ces compagnies parcourent la province en suivant les grands chemins : installées un jour dans quelque hôtellerie, un autre dans un jeu de paume, elles jouent des farces ou des tragi-comédies à la mode. La troupe de campagne la plus connue est **L'Illustre Théâtre** que Molière fonda en 1643 mais qui fit faillite dès 1645.

Dans Paris même, on ne trouve alors qu'une seule salle de théâtre fixe, louée à prix d'or à quelques compagnies de passage : située à l'angle de la rue Mauconseil et de la rue Française, dans l'**Hôtel de Bourgogne**, elle appartient aux Confrères de la Passion, qui ont le monopole des représentations dans la capitale. En 1628, la troupe nomade de Valleran-Lecomte s'y installe à demeure et ses comédiens, autorisés par Louis XIII à prendre le nom de « troupe royale », jouissent désormais d'une situation privilégiée : ils jouent d'abord la farce, où excelle le célèbre trio Gros-Guillaume, Gautier-Garguille et Turlupin, puis se spécialisent dans la tragédie. Parmi les acteurs les plus renommés de l'Hôtel de Bourgogne, le comique Poisson, Bellerose, Floridor, Montfleury et la Champmeslé, qui sera l'interprète favorite de Racine.

☞ de l'Hôtel de Bourgogne au Palais-Royal

Cependant, deux nouvelles salles vont venir faire concurrence à l'Hôtel de Bourgogne : **le Marais** et **le Palais-Royal**.

En 1635, la troupe dirigée par le tragédien Mondory se fixe au jeu de paume du Marais, rue Vieille-du-Temple : c'est le cardinal Richelieu, grand amateur de théâtre, qui lui accorde le privilège jusque-là jalousement détenu par les Confrères de la Passion pour permettre l'ouverture du **Théâtre du Marais** (*Le Cid* y triomphera deux ans plus tard). On y joue beaucoup la farce avec Jodelet et, surtout, des « pièces à machines » qui attirent le public par leurs effets spéciaux proprement merveilleux. Mais Mondory fait une attaque d'apoplexie et reste paralysé : le théâtre va décliner, jusqu'à sa fermeture en 1673 ; ses comédiens émigreront alors soit à l'Hôtel de Bourgogne, soit chez Molière.

C'est encore Richelieu qui, en 1639, fait construire en son Palais-Cardinal une grande et belle salle, inaugurée en 1641. Mais, à sa mort, un an plus tard, ce palais redevient la propriété du roi et prend le nom de « Palais-Royal ». Il faut attendre 1660 pour que **la salle du Palais-Royal** soit à nouveau fréquentée, occupée alternativement par les « Comédiens italiens », qui jouent la *commedia dell'arte*, et les « Comédiens français » de Molière.

En effet, après avoir tenté sa fortune en province, Jean-Baptiste Poquelin est revenu à Paris en 1658 : protégé par le frère de Louis XIV, il a installé sa troupe, qui s'appelle désormais « troupe de Monsieur », dans **la salle du Petit-Bourbon**, déjà occupée par la troupe italienne de Tiberio Fiorelli, plus connu sous le nom de scène de Scaramouche. Mais les Italiens (comédiens et chanteurs) et les Français (également tragédiens) qui y jouent en alternance sont brutalement expulsés en 1660 par ordre de Colbert, qui fait démolir la salle dans le cadre des nouveaux aménagements de la grande colonnade du Louvre. C'est alors que Louis XIV met la salle de son Palais-Royal, fermée depuis près de vingt ans, à la disposition des Comédiens italiens et de la troupe de Molière ; ce dernier la fait réaménager : la salle est arrondie pour reprendre l'architecture italienne dont il a pu apprécier les mérites.

Molière et sa troupe jouent tout le répertoire, de la farce la plus grossière à la tragédie la plus classique (Racine). Partisan du naturel dans l'art, Molière cherche à introduire dans la tragédie l'intonation juste par un débit varié. Il réagit vivement contre la déclamation emphatique de ses rivaux de l'Hôtel de Bourgogne : pour les ridiculiser, il imite Montfleury dans *L'Impromptu de Versailles* en 1663. (voir chapitre IV, p. 78)

☞ du Palais-Royal à la Comédie-Française

Après la mort de Molière en 1673, sa troupe doit quitter la salle du Palais-Royal pour s'installer rue Guénégaud (voir Pocket, « Les Précieuses ridicules », p. 181). Elle fusionne avec les troupes du Marais et de l'Hôtel de Bourgogne. Par une lettre de cachet, le roi accorde aux Comédiens français le privilège exclusif de « représenter des comédies dans Paris » (1680). En 1687, cette troupe s'installe rue des Fossés-Saint-Germain, dans l'actuelle rue de l'Ancienne-Comédie, où elle donne dès lors des représentations tous les jours ; elle compte quinze comédiens et douze comédiennes, appelés « comédiens ordinaires du roi » et pensionnés par lui : ainsi naît **la Comédie-Française**.

LA TROUPE DE JEAN-BAPTISTE POQUELIN,

DIT MOLIÈRE (1622-1673)

Ne sont cités ici que les acteurs les plus célèbres,
dont plusieurs apparaissent dans le roman.

Madeleine Béjart (1618-1672)

Elle appartient à une famille de comédiens dont
plusieurs membres sont liés à Molière : son frère
Joseph a contribué à la création de L'Illustre
Théâtre qu'elle-même a fondé (puis dirigé) en 1643
avec Jean-Baptiste Poquelin. La même année, elle
a donné naissance à une fille, Armande (reconnue
par le duc de Modène), qu'elle fait ensuite passer
pour sa sœur.

Selon le témoignage d'un contemporain, Georges
de Scudéry, Madeleine « était belle, elle était
galante, elle avait beaucoup d'esprit, elle chantait
bien ; elle dansait bien ; elle jouait de toute sorte

d'instruments ; elle écrivait fort joliment en vers et en prose et sa conversation était fort divertissante. Elle était de plus une des meilleures actrices de son siècle et son récit avait tant de charme qu'elle inspirait véritablement toutes les feintes passions qu'on lui voyait représenter sur le Théâtre ».

Même si Molière lui laisse toujours le privilège de choisir son rôle dans la distribution, Madeleine s'oriente peu à peu vers des emplois de servante (Dorine dans *Le Tartuffe*) ou de femme d'intrigues (Frosine dans *L'Avare*), laissant les premiers rôles à la Du Parc ou à Armande, devenue sa rivale dans le cœur de Molière.

Armande Béjart (1642-1700)

Fille (sœur ?) de Madeleine, elle joue dès 1653 les rôles d'enfant sous le nom de Mlle Menou. Molière l'épouse le 20 février 1662. Les comédiens de l'Hôtel de Bourgogne ne manquent pas de médire de leur grand rival en l'accusant d'avoir épousé sa propre fille, ce qui est sans fondement. De cette union naissent trois enfants, dont une seule, Esprit-Madeleine, survivra à son père.

Coquette et fort courtisée, plus gracieuse que belle, Armande crée généralement les premiers rôles féminins (Elmire dans *Le Tartuffe*, Angélique dans *Le Malade imaginaire*), mais elle joue aussi des rôles tragiques (Bérénice dans *Tite et Bérénice*, de Corneille).

Après la mort de Molière, elle veille avec La Grange à la survie de l'œuvre du poète et épouse en secondes noces un comédien du Marais. Elle joue à l'Hôtel Guénégaud et à la Comédie-Française jusqu'à sa retraite, en 1694, les rôles que Molière a écrits pour elle.

Marquise-Thérèse de Gorla, dite Mlle Du Parc (1633-1668)

Petite saltimbanque d'origine italienne, elle danse sur le marché de Lyon quand René Berthelot, dit Du Parc, la découvre et l'épouse en 1653. Cette beauté devient vite la coqueluche de son temps. Comédienne de talent, reine des fêtes de Versailles où elle séduisit Louis XIV, elle a tourné la tête de tous les auteurs à succès : La Fontaine ; Corneille, qui lui a écrit les fameuses *Stances à Marquise* (1658) et qu'elle dédaigne pour Molière ; enfin, Racine, qui lui offre le rôle d'*Andromaque* (1667). Cependant, la belle inconstante meurt empoisonnée dans des circonstances mystérieuses.

René Berthelot, dit Du Parc ou Gros-René (vers 1630-1664)

Entré dans la troupe de Molière dès sa création, ce jeune homme fort gros (il le restera toute sa vie) prend le nom de théâtre de Du Parc. Spécialisé dans les rôles de valet, il doit son second surnom à son embonpoint. Après avoir épousé en 1653 la très séduisante Marquise-Thérèse de Gorla, il quitte avec elle la troupe à Pâques 1659, pour entrer au Théâtre du Marais, mais le couple revient chez Molière un an plus tard.

Dans les farces et les comédies, Du Parc/Gros-René incarne un type de serviteur sympathique, franc, posé et sans façon, à la manière de Sancho Panza dans le *Don Quichotte* de Cervantès.

Charles Varlet, dit La Grange (1635-1692)

Fils d'un procureur du roi, orphelin de bonne heure, il reçoit une solide éducation, puis devient comédien, sous le nom de jeune fille de sa mère. Il entre chez Molière en 1659, pour interpréter le rôle du jeune premier amoureux, jouant, entre autres, Éraste dans *Les Fâcheux*, Horace dans *L'École des femmes*, Valère dans *Le Tartuffe* et Cléante dans *L'Avare*.

Il remplit rapidement l'importante fonction de régisseur de la troupe : il remplace Molière comme orateur, tient scrupuleusement jour après jour le précieux registre de la compagnie (voir pp. 281-282), dont il gère également les affaires. Il a la réputation d'un honnête homme et d'un bon comédien, dans le genre sérieux comme dans le genre comique.

À la mort de Molière, il rassemble ses comédiens, chassés du Palais-Royal au profit de Lully, achète la salle de la rue Guénégaud et conserve le répertoire et l'esprit de Molière. Il devient, après 1680, le premier doyen de la Comédie-Française.

C'est à cet acteur qui fut l'homme de confiance et l'ami fidèle de Molière que l'on doit la réalisation de la très précieuse édition posthume de ses œuvres en 1682.

Michel Boyron, dit Baron (1653-1729)

Ayant perdu à neuf ans ses parents, tous deux comédiens à l'Hôtel de Bourgogne, le petit Michel est négligé par son tuteur, qui a dilapidé ses biens et l'engage dans la troupe des Petits Comédiens du Dauphin. On suppose (les faits ne sont pas fermement établis) qu'il est recueilli par Molière en 1665, mais qu'il quitte la troupe peu après pour avoir reçu un soufflet d'Armande Béjart. Cependant, il y revient en 1670, de manière triomphale (les pamphlets de l'époque expliquent qu'Armande a changé de sentiments à son égard !), pour jouer les jeunes premiers. Dès lors, il ne quitte plus Molière, qui écrit pour lui le rôle de l'Amour dans *Psyché* (1671).

Après la mort de Molière, il poursuit une brillante carrière. Marié à la fille de La Thorillière, acteur de la troupe de Molière, il rejoint l'Hôtel de Bourgogne, où il interprète, entre autres, le rôle d'Hippolyte dans la *Phèdre* de Racine (1677). Il compose aussi ses propres œuvres, dont *L'Homme à bonnes fortunes* (1686). Il se retire du théâtre en 1691, déçu de n'avoir pas obtenu la régie de la Comédie-Française, et ne revient qu'en 1720, pour jouer aussi bien les pères nobles de tragédie que les premiers rôles, voire les jeunes premiers, en dépit de ses soixante-sept ans. Il conserve l'esprit de l'œuvre de Molière, restant fidèle à sa conception d'une diction naturelle. Il meurt, comme plusieurs autres acteurs de l'époque, quasiment en scène, terrassé par une crise d'asthme.

Comme on peut le constater, Baron, enfant de la balle, formé par Molière lui-même, et qui fut sans doute l'acteur le plus doué de son temps, a largement inspiré le personnage de Gabriel, le héros de notre roman (son statut d'orphelin, sa vivacité et son goût précoce pour le théâtre, jusqu'à la gifle reçue d'Armande !).

LE REGISTRE DE LA GRANGE

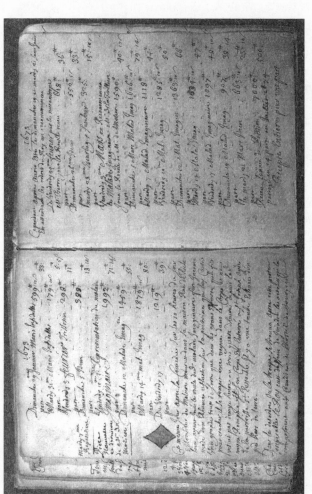

Registre de La Grange. Extraict des Receptes Et des Affaires de la Comedie Depuis Pasques de l'année 1659, appartenant au Sr de la Grange L'un des comédiens du Roy. (Collections de la Comédie-Française / photo. Charmet.)

À partir de 1659, le comédien La Grange tient les comptes des représentations de Molière. Son registre constitue aussi un très précieux journal relatant au jour le jour la vie de la troupe.

Sur cette page est ainsi relatée la mort de Molière (17 février 1673) :

« Ce même jour après la Comédie, sur les dix heures du soir, M. de Molière mourut dans sa maison rue de Richelieu, ayant joué le rôle dudit Malade imaginaire ; fort incommodé d'un rhume et fluxion sur la poitrine qui lui causait une grande toux de sorte que dans les grands efforts qu'il fit pour cracher, il se rompit une veine dans le corps et ne vécut pas demi-heure ou trois quarts d'heure depuis ladite veine rompue. Son corps est enterré à Saint-Joseph, aide de la paroisse Saint-Eustache. Il y a une tombe élevée d'un pied hors de terre. »

Table des matières

Cet ouvrage a été composé par
PCA - 44400 REZÉ

Cet ouvrage a été imprimé
en France par

BRODARD & TAUPIN

La Flèche (Sarthe), le 03-03-2014
N° d'impression : 3004658

Dépôt légal : août 2008
Suite du premier tirage : mars 2014

MIXTE
Papier issu de
sources responsables
FSC® C003309

Pocket Jeunesse, une marque d'Univers Poche,
est un éditeur qui s'engage pour
la préservation de son environnement
et qui utilise du papier fabriqué à partir
de bois provenant de forêts gérées
de manière responsable.

www.pocketjeunesse.fr
POCKET JEUNESSE

12, avenue d'Italie – 75627 PARIS Cedex 13